講談社文庫

ブロークン・ブリテンに聞け

社会・政治時評クロニクル2018-2023

ブレイディみかこ

講談社

はじめに

わたしは飽きっぽい性格だ。だから連載を続けるのが苦手である。

だいたいにおいて、1年ぐらいで終わりたくなる。2年経つともう、つらくてつらくて、執筆という作業はこんなにも苦しいことだったのかと泣きながら書いている。それ以上続くとなると、いったいわたしに何が起きたんでしょうねと自分でもびっくりするぐらい珍しいことなのだが、文芸誌「群像」の連載「ブロークン・ブリテンに聞け」は31回も続いた。

原因は何だったのだろうと考える。たぶん、かっちりしたテーマがなかったからではないか。

政治からテレビ番組や映画、アート、英語、王室に至るまで、英国に暮らして新聞や雑誌を読んだり、人と話したりするなかで、そのときに気になるものをランダムに書き綴(つづ)ってきたので、知らない間に足かけ3年も続いてしまったのだろう。

そんなわけで、その(わたしにしては)長期の連載をまとめたこの本には、201

8年から2020年まで月に1回、地味に書き続けた時事エッセイがおさめられている。政治にしろ何にしろ、話題がめまぐるしく移り変わる昨今の英国において、2018年はすでに遠いむかしに思える。

連載が始まった同年3月に英国で何が起きたか振り返ってみると、まず、1日にチャールズ・ダーウィンの肖像がついていた10ポンド紙幣が使用不可になっている。前年から流通していたジェーン・オースティンの肖像の新10ポンド紙幣と完全に交代になったのだ。おお、たった2年前のことだったのかと驚いてしまう。さらに、3月14日にはケンブリッジの自宅でスティーヴン・ホーキング博士が死去。ダーウィン図柄の10ポンド札が廃止になったのと、ホーキング博士が亡くなったのが同じ月だったのかと思うと、いまさらながら感慨深いものがある。

さらに、5月には英国王室のヘンリー王子がメーガン・マークルとウィンザー城内のチャペルで挙式した。2016年6月の国民投票で決まった欧州連合（EU）離脱の行方が不透明で、「ブレグジットなんて一生起こらないんじゃないの」というムードの中で、なんとなくテレビでロイヤルウェディングを見ていた人たちが多かったように思う。そういえば、挙式のために世界中からメディアや観光客が訪れるからというので、ウィンザー地区の地元当局がホームレス一掃の取り組みを行ったなんて話題もあった。試算では約50億円とも言われた挙式の陰で、路上からのホームレスの排除計画が進んでいたという事実には、格差社会ここに極まれり、と痛感したものだったが、「英国は１００年前からずっとそう。変わってないだけ」とうちの配偶者は言っていた。とはいえ、明らかに１００年前とは異なっていたのは、黒人の母親を持つ米国籍のメーガンが王室のメンバーに加わったということだった。新たな時代の幕開け、みたいなことが盛んに言われていた。

格差社会が極まりつつ、新たな時代が始まろうとしていたのだ。

続く２０１９年はブレグジット一色の年だった。離脱に関するＥＵとの協定について、英議会とメイ首相が揉め続け、協定案を出しては否決され、首相不信任案が出されては否決され、ニュース速報が連日のように流れ、「前代未聞の」とか「衝撃の」とかメディアが煽(あお)るたびに人々は萎えていった。ついに「できることは全てやった」と泣きながらスピーチしてメイ首相が辞任し、強硬離脱派のジョンソン首相が後任になった。そして12月には総選挙が行われ、ジョンソン率いる保守党が大勝利をおさめ、翌２０２０年1月末に英国はＥＵを離脱した。

これからこの国はどうなるんだろう、ほんとに食料難や暴動が起こるんだろうか、と思っていると、やってきたのはなぜかパンデミックだった。英国は3月23日から全国一斉にロックダウンに入り、公立の小中学校などは一部の地域の一部の学年を除き、５ヵ月以上もの長きにわたって休校することになる。ちなみに今日（７月24日）

から、英国でも店舗やスーパーマーケットでマスク着用が義務付けられた。ほんの数ヵ月前まで、マスクなんて中国人や日本人が着ける異国の物品と考えていた英国の人たちが、急にこぞってマスクを探し求め、スーパーで大人買いしている。そうこうしているうちに、20ポンド札の肖像画も見慣れたアダム・スミスの顔からウィリアム・ターナーに切り替わった。2018年に華々しく結婚し、英国に新たな時代をもたらすはずだったヘンリー王子とメーガン・マークルは、まさかのロイヤルファミリー離脱を遂げて、国外に移住している。

社会なんてそんなに簡単に変わるものではないと言う人々がいる。しかし、ここ2〜3年の英国を見ていると、ちょっと変わり過ぎなんじゃないかというぐらい、いろんなことが変わっている。

そして気づくのである。もしかして、自分がこの連載に飽きなかったのは、とりもなおさず、英国じたいが滅多にない激動の時期にあったからではないかと。

その日々の断片をスクラップしたようなこの時事エッセイ集を、願わくはあなたも飽きずに読み進めてくださることを祈りつつ、激変する社会に置いていかれないよう、わたしもこれからマスクを買ってきます。

2020年7月

五年一昔　文庫版の序に代えて

十年一昔という言葉が日本語にある。英語でも、10年間のことを「ディケイド」と呼ぶ習慣があり、10年という単位はやはり時代の区切りと考えられてきた。

だが、テクノロジーの急速な発達のせいだろうか、それとも人間に落ち着きがなくなったせいだろうか、昨今では時代の区切りは5年ぐらいになっている。文庫版のゲラを読んでいて、心からそんなことを感じてしまった。本書の元になった連載「ブロークン・ブリテンに聞け　Listen to Broken Britain」(「群像」掲載)を書き始めた2018年が、前世紀のことのようにさえ感じられるからだ。

まず、当該連載が始まった頃は、2016年に国民投票でEU離脱を決めた英国の人々が、具体的にどういう条件で離脱するのかで揉めに揉め、これほど分断が進んだ時代はなかったと言われていた。が、すっぱりと離脱を成し遂げたいまでは、世論調査でも離脱を間違いだったと後悔する人が半数超えという有様だ。あの大騒ぎはいったい何だったのだろうと言うしかない。とりあえずやってみようと無謀なことに手を付け、やっぱダメやったと反省するところは素直だと言うこともできるが、いまや英国の人々にとってEU離脱は、遠いむかしにやらかした過ちである。あの頃のギラギラした憎悪や対立ムードは、どんよりした疲労感に取って代わられている。

さらに本書では、コロナ禍の始まりやロックダウンについても書かれているが、あれもまた見事に歴史の一ページになった。もともと英国の人々はマスクが嫌いだったので、風邪を引いたらマスクをするというような習慣も根付かなかったし、ここでも、あの大騒ぎはいったい何だったのだろうとシュールな気分になる。とは言え、英国のえらいところは、コロナ禍中の政府の対応が適切だったのかどうかを独立調査委員会が厳しく調べており、当時の政府関係者が次から次へと審問に呼び出されてしつこく責任を追及されていることだ。当時の首相、ボリス・ジョンソンは、世界中で報道されたパーティー疑惑がきっかけで失脚し、それから2人も首相が代わっている。

何よりびっくりしたことには、本書でわたしに英国の「くまモン」呼ばわりされていたエリザベス女王が死去し、国歌のタイトル「ゴッド・セイヴ・ザ・クイーン」が「ゴッド・セイヴ・ザ・キング」になった。彼女の死後、英国王室がどうなるかという考察は本書でも書いていたが、いま読み返すと、ポスト・ブレグジットとポスト・エリザベスの時期が重なるようなことになれば、英国は本当にアナキー・イン・ザ・UKになるのではと言及していて、現在の状況と照らし合わせるとなかなか面白い。

というわけで、この本にはＥＵ離脱やコロナ禍時代の英国についての文章が収められている。だが、せっかく文庫版を出すのだからということで、単行本出版後に書いた時評も収録することになった。直近で２０２３年の末に書かれたものまでが入っているので、単行本に収録されていた文章の「その後」をフォローする内容になっている。結果として、２０１８年から２０２３年まで、ちょうど「五年一昔」から現在までのスパンをカバーする本になった。このハーフ・ア・ディケイドの記録を楽しんでいただけると幸いである。

ブレイディみかこ

2018

2020

2021

2022

2023

初出表記について

◆本書２２９ページまでは、ブレイディみかこ『ブロークン・ブリテンに聞け——Listen to Broken Britain』（２０２０年10月、小社刊）所収の、『群像』での連載「ブロークン・ブリテンに聞け」（２０１８年3月号〜２０２０年9月号）と「エモジがエモくなさすぎて」（同誌２０１７年11月号に掲載）を、単行本と同様に収録している。

◆２３１ページ以降は、２０２１年以降に執筆されたコラムや時評、エッセイを新たに収録した。初出が連載の場合も、本書の構成上、すべての連載回を掲載したとは限らない。

◆映画パンフレットに寄稿した2編を除き、本文各章の冒頭日付上の記載は以下の初出媒体を示す。

群像　『群像』「ブロークン・ブリテンに聞け」（２０１８年3月号〜２０２０年9月号）
　　　『群像』「エモジがエモくなさすぎて」（２０１７年11月号）

ＰＡＮＩＣ　ＮＴＴ労働組合機関紙『ＮＴＴ労組新聞』「ＰＡＮＩＣ」（２０２１年9月〜）

欧州季評　『朝日新聞』「欧州季評」（２０２１年12月〜２０２３年1月）

図書新聞　『図書新聞』新年特大号特集「世界への視座」ＵＫ（２０２２年、３５２５号・２０２３年、３５７３号）

◆いずれの原稿も、本書収録にあたって補筆や整理を施した。

◆本書中、通貨（ポンド）の円換算については発表当時のままとした。

5月19日、ヘンリー王子と
メーガン・マークルの結婚式。
(写真：代表撮影／ロイター／アフロ)

2018

君は「生理貧困、ミー・トゥー!」と言えるか

群像　2018年3月号

「ピリオド・ポヴァティ」という新たな貧困用語がある。直訳すれば「生理貧困」。これだけではなんのことやらわからないが、要するに、貧困層の女性たちが、生理中に使用するタンポンやナプキンが買えないことを意味する。

英国で#FreePeriodsという運動が始まったきっかけは、2016年に英国公開されたケン・ローチ監督の映画『わたしは、ダニエル・ブレイク』だった。同作の中に、貧しいシングルマザーが生理用品を万引きするシーンがある。この場面は多くの人々の心を捉え、英国中のフードバンクに生理用品の寄付が殺到した。この流れで立ち上がった#FreePeriodsは、貧困家庭の少女たちに、無料で生理用品を提供するための運動だ。

昨年3月、英国中部のリーズで女子生徒たちが生理のたびに学校を休んでいることがメディアで大々的に報道された。10歳以上の少女たちが、家庭に生理用品を買う余裕がないために生理になるたび家から出られなくなるという。彼女たちは、ソックス

の中にティッシュを詰めたり、古いTシャツを破ったり、新聞紙を重ねたりして生理の期間をしのいでいるが、そうしたものは市販の生理用品のように吸収力がないため、制服が汚れてしまうことを恐れて学校に行くことができないのだ。

政府から低額所得と認定された家庭の子どもたちは、学校の給食費が無料になる。生理になったら学校を休むのも、おもにそうした家庭の子たちだ。ならば給食費無料の女子生徒たちに生理用品を無料配布せよと立ち上がった運動が #FreePeriods であり、首相官邸前などで抗議デモを行ってきた。

欧州や米国のチャリティー団体は、発展途上国の少女たちの生理の問題ではかなり前からキャンペーンを展開してきた。そうした運動が功を奏し、例えば、ケニア政府は、2017年にすべての女子生徒に生理用品を配布することを公約したし、インドのケララ州でも約300校で生理用品の無料配布スキームが始まっている。

英国王室のヘンリー王子の婚約者で女優のメーガン・マークルも、こうしたチャリティー活動に熱心なことで有名だ。彼女は、昨年、タイム誌に「いかに生理が潜在能力に影響をおよぼすか」というタイトルのエッセイを発表している。

「インドだけでも、1億1300万人の12歳から14歳の少女たちが、生理を取りまくスティグマのために学校をやめるリスクに晒(さら)されています」

「私が現地にいた間、多くの少女たちが生理中に学校に行くのは恥ずかしいと感じていると話してくれました。彼女たちはナプキンではなく不適切なぼろ布を使い、スポーツに参加することもできませんし、自分の身を整えるためのトイレもありません。だから、学校そのものをきっぱりやめることを選択することも往々にしてあります」

彼女はエッセイの中でインドの状況についてさかんに憂えていたが、自分が婚約しているプリンスの国にも同じような境遇の少女たちがいることを知っていただろうか。

２０１７年12月に慈善団体プラン・インターナショナルが発表した調査結果によれば、14歳から21歳までの英国の女性たちの10人に１人が貧困で生理用品が買えなかったことがあると答えている。さらに、７人に１人が生理用品を買うために金銭的に苦労していると答え、同じく７人に１人が生理用品を買うお金がなくて友人から借りたことがあると答えている。

英国で生理用品を買うと、20個入りのナプキン１パックが約２ポンド（約３００円）だ。人によって使う個数は違うが、毎月５ポンド（約７５０円）から６ポンド（約９００円）は必要になる。世界でもっともリッチな国の一つであるはずの英国に、それを買えないほど貧しい女性が10人に１人もいるというのである。

ＢＢＣニュースのサイトには、一見しただけではとても貧困の悲惨さなど感じられない若い女性たちが、「生理貧困」の問題について語り合っている動画があがっている。

「友達が、ランチを食べるか生理用品を買うか迷っていたことがあった」

「私は幸運にしてカレッジ（日本でいう高校）から補助金をもらっていて、食事や交通費は出ている。でも、それがなかったら生理用品を買えなかったと思う」

若者だけの話ではない。スコットランドの中年女性はもっと切実な経験を語っている。

「4日間、ソックスとティッシュを使っていたことがあった。汚れてしまうから古いズボンをはいていた。家から一歩も出られなかった」

昨年、同じようにハッシュタグがついた女性たちの運動として盛り上がったのが#MeTooだった。ハリウッド女優たちが大物プロデューサーからセクハラの被害にあっていたことを相次いで告発したことが発端となり、政界、ビジネス界など様々な業界に広がり、世界規模で拡大している。が、同じようにユニバーサルな問題であるはずなのに、#FreePeriodsの広がり方は地味だ。こちらは、誰もが知っている大物セレブが次々に出てきて、「生理貧困、ミー・トゥー！」と訴えるような運動でもない。

「生理貧困なんて、いま始まったわけじゃないよ、むかしからあった」

タクシーの運転手をしながらシングルマザーとして複数の子どもを育てあげた隣家

のおばちゃんは言う。

「あたしだって娘のタンポンを買うために自分の食事を抜いていたこともあった」

「この国って何でもすぐ運動にするのに、いままでフェミニストたちはそれで闘ってこなかったの？」

　と聞くと、おばちゃんは言った。

「フェミニストって貧乏人のことにはあんまり興味なかったからね。別枠の問題なんじゃない？　あとやっぱり……、生理のことって、大っぴらに言いにくいからでしょ。恥ずかしいから」

　確かに、生理に対するスティグマが存在していることは、例えば、生理用品のCMなど見ていても、ナプキンの上にこぼされるのが常に青い液体であることからも明らかだ。ミュータントじゃあるまいし、人間の赤ん坊が額に青い血をつけて生まれてくるわけがない。どんな人間も、赤い血にまみれて生まれてくるのだ。それなのに、その赤い色の液体が生理用品に吸収される映像がいまだにタブーとされているのだと思えば、この問題はなかなか根深い。

　こうしたスティグマを取り除くため、前述の慈善団体、プラン・インターナショナルUKは、エモジに生理を表す絵柄を含むべきだと主張している。いまやすっかり英国でも普及したエモジには、昨今女性に人気のプレッツェルのイラストまで登場している。ほとんどの女性がプレッツェルを食べるより頻繁に生理を経験しているはずなのに、生理を表すエモジはまだない。同団体は、白いショーツの中央に涙の粒のような赤いしずくが描き込まれている絵柄、ピンク色の女性の子宮の絵柄、ナプキンの中央に赤い血がついているイラスト、など複数の生理を表すエモジのサンプルを提案している。

調査では、18歳から34歳の女性の約半数が生理のエモジがあったら使うと言っているという。ユニコードには1000を超えるエモジがあり、モアイ像や水晶玉、スマイルしている排泄物のイラストまで存在する。うんこがあって生理がないというのは、人間の生殖機能に対する不当な差別ではなかろうか。

このような体たらくだから「生理貧困、ミー・トゥー!」とは言いづらいのだ。「私は赤貧だ」と言うだけでも恥ずかしいのに、「私だって生理のときには赤い血を流している」と知られるのはもっと恥ずかしいという、ダブル・レッドの両輪スティグマがこの問題を不可視にしてきたのだ。

#FreePeriods の運動のリーダーは18歳の女性であり、デモ参加者も大学生ぐらいの若い女性たちが目立つ。彼女たちは、プラカードにホラー調の血のしずくを描いたり、巨大に広がったナプキンのイラストを描いたり、これ見よがしにユーモラスでなかなか頼もしい。

血ぐらいでオタオタすんな、と啖呵が切れる若い女性たちの登場を喜ばしく思うが、日本でもこの問題はけっして他人事ではないはずである。

生活保護の生活扶助費引き下げという、まるで英国のような緊縮政策が、わが祖国でも数ヵ月前に発表されたばかりではなかったか。

#芸術がウザくなるとき

群像　2018年4月号

2017年の暮れも押し迫った頃、一家でブリュッセルに旅をした。ブリュッセルといえばEUのお膝元であり、そのため「ヨーロッパの首都」と呼ばれる都市だ。そこで、現地の観光名所の一つであるベルビュー博物館に行ったときのことである。

それは、ベルギー王室の歴史から始まり、ブリュッセルがヨーロッパの首都になるまでの都市の民衆史も学べるインタラクティブ博物館になっていた。「民主主義」「繁栄」「連帯」「多元主義」「移住」「言語」「ヨーロッパ」という7つのテーマの部屋に分かれて、その主題に沿った展示品が並べられている。通路や部屋の入口には幾つもスクリーンが設置されていて、ベルギーの市井の人々が社会や政治について語っている映像もノンストップで流れていた。

例えば、「連帯」がテーマの部屋には「共闘は力」というスローガンが掲げられ、「衝突から組織へ」「自発的な団結」「福祉国家へ」といった小テーマのもとに展示品が整理されており、労働運動の発展の歴史がわかるようになっている。また、「多元主義」の部屋では、カトリック教育は民主主義に反するという議論が巻き起こった19世紀末の「学校論争」、いまやカトリック信者が人口の半数以下になった現代のブリュッセル、同性愛者の結婚の権利などが高らかに謳われ、「移住」のコーナーでは移民・難民の権利、「ヨーロッパ」の部屋ではEUの理念と反戦の誓いなどが展示物のテーマになっていた。

「すげー、ここ、めっちゃ面白いんだけど、ぶっ飛ぶほどレフトだな」

展示物や映像を見て回りながら、配偶者がそう言った。

確かに、英国から来た我々からすると、思想的な方向性を一直線に打ち出した博物館に見えた。館内には、先生に先導されて学校から来ているらしい小学生たちもいる。

「さすがブリュッセルとしか言いようがない」

配偶者は、輪になって先生から説明を受けている子どもたちを見てしみじみ言った。

「考えてみりゃ、俺らが若い頃は、『同性愛者の結婚なんてとんでもない』とか、『移民とつきあうな』とか『日曜は教会に行きなさい』とか言って大人たちが保守的だったから、『ふざけんな』って若者がレフトになったわけじゃん。レフトは体制に反抗する不良だったんだよ。ところが今は、小学生のうちからこういうところに連れて来られて、先生から『同性愛者の結婚は当然です』『移民制限は人道的ではありません』『クリスチャン教育は多元主義に反します』って教えられるわけじゃん。すっかりレフトのほうが体制側になってるんだなって、隔世の感があるな」

これは1956年にロンドンで生まれ、60年代、70年代、80年代のストリートの動乱と変遷を見てきた彼にとっては率直な感慨だろう。確かに、レフトな思想が世間的にワルくて、アウトサイダー的クールさを発散していた時代もあった。しかし、今やそれが学校で教えられる世間的な正しさの規範となり、レフトが優等生の位置を獲得したのだ。

年が明け、再びそのことを考えさせられる一件があった。マンチェスター市立美術館の「ヒュラスとニンフたち」撤去事件が勃発したのである。

マンチェスター市立美術館はラファエル前派絵画のコレクションで有名だが、そのコレクションの一つであるJ・W・ウォーターハウスの「ヒュラスとニンフたち」が唐突に一時撤去されて世論が炎上したのだ。この絵画はギリシャ神話をモチーフにしており、美貌の少年ヒュラスが泉に水をくみに行った際、妖精たちが彼の美しさに魅了され、彼を泉の底に引き込んだという物語の一場面を描いたものだ。

そこには泉から裸の上半身を出した妖精たちが描かれてはいるが、ラファエル前派の作品だからセクシーとか肉感的とかいうよりは、どちらかといえば内田善美（うちだよしみ）の漫画のような絵だ。同美術館は、女性の体を「受動的で装飾的なモチーフ」または「ファム・ファタール」として描いている絵画は21世紀の美術館で展示するに相応しいかどうか、来館者たちの意見を聞くために撤去したと主張した。絵画が展示されていた場所には、来館者がポスト・イットにコメントを書いて貼ることができるスペースが用意された。残されたコメントは圧倒的に撤去に対して批判的なものが多く、ネットにも怒りや不快感を示すツイートが殺到した。

「私は学生たちをあの美術館に連れて行って、ビクトリア朝時代の女性やジェンダーに対する態度を分析しているのに」という教員のつぶやきや、ギリシャ神話の同じ場面を描いた絵画をアップして（こちらのほうが妖精たちの露出度は高い）「同時代に女流画家、ヘンリエッタ・ラエが描いた同じ場面。競売会社クリスティーズは『彼女は女性の裸体を強調して古典的テーマを多く描いた』と解説している」とツイートした男性もいる。

この騒ぎは世界中に広がって国際的議論に発展し、マンチェスター市立美術館は、実はこの絵画の撤去はそれ自体がアート・プロジェクトの一環として行われたものであったことを発表した。

このアート・プロジェクトとは、同美術館で3月23日から9月2日まで行われるソニア・ボイス展の一部だという。ソニア・ボイスは、挑発的なテーマを扱う現代アートの作家として知られ、わが街ブライトンでも物議を醸す個展をやったことがある。このときは、彼女は西洋以外の民族の文化による展示物の陳列ケースをトレーシングペーパーで覆い、覗き穴を開けてそこからのみ展示物を盗み見ることができるようにした。アフロ・カリビアン系の彼女は、その多くが大英帝国時代の植民地から持ち帰られた展示物を覆い隠し、覗き穴を通してしか鑑賞できないようにすることによって、展示物がなんとなく来館者の目に入るのではなく、「意識的に見なければならない」状況を作り出したのだという。

今回のマンチェスターでの実験的プロジェクトは「女性の体の表現……ビクトリア朝のファンタジーに疑問を投げかける」というタイトルがついている。ボイスがブライトンで行った実験と同様、人々が「ふつうだと感じていること」に異常なシチュエーションを与えることによって議論を喚起する手法だ。が、今回はブライトンのときとは違うマグニチュードで騒ぎになったのは、もちろん #MeToo 運動や #TimesUp 運動と連動しているからなのは間違いない。

だが、それだけでもないように思える。ここで問題なのは、ブライトン博物館&美術館で個展を行った1995年から2018年までの間に、レフトの社会的ポジションや捉えられ方が大きく変化してしまっているということではないだろうか。だからこそ、23年前に展示物の陳列をトレーシングペーパーで覆ったときには「面白いことするねー」とか「勇気あるねー」で終わったことが、いまは「一般人をばかにしている」と言われてしまうのだ。

つまり、主流派の考え方に疑問を投げかけ、体制に反逆するアウトサイダーだったはずのレフトが、いまや主流派そのものというか、ふつうに学校で教えていることを主張するのにいまだパンク気取りで奇抜な方法を用いているから「クール」どころか「むかつく」と言われてしまうのである。だから美術館の壁からいきなり女性差別的な絵を撤去するというゲリラ的な行為を行っても、「こうした作品は風紀的に好ましくない」か何か言ってエリート校の壁からヌード絵画を外す厳格な校長先生みたいに見えて人々の怒りを買うのだ。

大前提として、ゲリラ戦やテロルは、メインストリーム側からは決行できないものなのである。レフトな思想の表現メソッドは、もしかして時代の変化について行けてないのではなかろうか。

「ヒュラスとニンフたち」の絵画が撤去された場所に貼られた来館者のコメントの一枚にこう書かれていた。

「あなたたちの抑圧的で、専制的で、人を見下したようなやり方を憎悪します」

現代のすべてのクリエイターたちが軽率に捨て置いてはいけない命題をこのポスト・イットの走り書きは孕(はら)んでいるのではなかろうか。

34

政治的主張を含む芸術をウザい説教にしないためには、より繊細で洗練された手法が必要になってきているのは間違いない。

ブレグジットとUKコメディ　1

右翼漫談のリバイバル

群像　2018年5月号

日本の菊地成孔（きくちなるよし）氏が、いま英国の映画や音楽が熱いと主張しておられるらしい。氏によれば、アメリカはクタクタだが、「その間隙を縫ってイギリスは、セカンド・サマー・オヴ・ラヴならぬ、セカンド・ブリティッシュ・インベンションならぬ、新UK（NUK）という、政治経済文化全般を更新させた化け物のような存在になりかけている」という。

一寸先は闇、みたいなブレグジット問題に揺れる国内ではそういうことを軽やかに口にできる雰囲気ではないが、実はここのところ、現地でわたしも似たような感慨を抱いている。

特に、お茶の間でもそれが顕著に感じられるのが、コメディの分野だ。

思えばあれは5年前。ニュー・ステイツマン誌に、生粋の左翼として知られるコメディアンのスチュワート・リーが「右翼のスタンダップ・コメディアンはどこに行ったんだ？」という記事を書き、英国から右翼の漫談師が消滅したと指摘した。ＢＢＣ

ラジオ4のコメディ番組企画担当者も、出演者が左翼ばかりなので、バランスを取るために右翼漫談師を探しているが、見つからないと嘆いていたという。リーは、右翼漫談が難しい理由をこう分析していた。

「漫談とは下から拳を突き上げることでなくてはならない。それは英雄的な小さな闘争なのだ。何らかのキャラクター上の疑念や、脆弱さ、明らかな欠陥がないと、右翼の道化師にはなれない。右側にいるということは、すでに勝利していることだ。悲劇的ではない。上から拳を振り下ろしているのだ」

英国のコメディ界は圧倒的に左翼的思想を持つ人々が多い。が、70年代、80年代には人気を博した右翼コメディアンたちもいた。彼らのジャンルは「ブルー・コメディ」と呼ばれる。「ブルー・ムービー」が「ポルノ映画」と訳されるからといって、何もヌードで漫談師が出て来るわけではない。PC（ポリティカル・コレクトネス）の点で一般には認められない発言が多いので、ブラック・コメディよりもさらに過激と分類されていたのだ。

このジャンルの代表的スターは、テレビでレギュラー番組も持っていたジム・デイヴィッドソンだ。彼は、テレビでは控えめだったが、パブや小劇場での漫談となると外国人やゲイ、女性への差別的発言で物議をかもした。また、2007年にチャンネル4が発表した「史上最高の漫談師トップ100」で29位に選ばれた故バーナード・

マニングもレイシスト的なネタで非難されたコメディアンの一人だった（しかしながら彼はなぜか愛されたキャラクターで、BBCが彼の死後に伝記ドラマを制作しようとしたこともある）。

「あの頃の漫談は、黒人とかインド人だけじゃなくて、どっちかっていうとアイルランド人のことをケチョンケチョンにバカにしていた。アル中とか、田舎者とか言って」

と配偶者は証言している。

まだ「アイルランド人と黒人と犬はお断り（ちなみに"No Irish, No Blacks, No Dogs"は元セックス・ピストルズ、PiLのジョン・ライドンの最初の自伝の題名）」の名残（なごり）があった時代である。ジョン・ライドンと同い年で、同じくアイルランド移民の子どもだった配偶者は言った。

「でも、あの頃は当のアイルランド人もげらげら笑ってたよ。そういうおっさん、確かにいるよなーとか、俺の親父のことじゃんそれ、とか言って」

しかし、当然ながらこのスタイルが21世紀の現代に受け入れられるわけがない。だから、右翼コメディが復活すると言っても、レイシスト漫談が蘇っているわけではない。いま出てきている人々はもっと知的で、ある意味ではさらにポリティカルだ。

そのトップランナーと目されているジェフ・ノーコットは、現在のコメディ界にあっては絶滅種といえる「トーリー（保守党支持）・コメディアン」として注目を集めている。週末にクラブで漫談していた下積みの時代、何か人と違うことをしなければ目立たないと思って、妻に相談したら、保守党支持者の漫談師っていうのが他にはいないでしょ、と言われてそれを売りにすることにしたという。

彼も漫談で外国人の英語のアクセントを大げさにして真似たりはするが、むかしの右翼漫談のように放送禁止用語を使うことはないし、漫談の中では常に移民のほうが自分よりも権力のある者や有能な者になるストーリー設定をしていてPC対策にも余念がない。

だが、実はそうしたネタよりも、彼の漫談には「政治思想の常識を疑え」的なネタが多い。「なぜコメディ界にトーリーがいてはいけないのか（実際には、いる）」「なぜ労働者階級は左翼でなくてはいけないのか（実際には、違う）」「なぜ身体障碍者はかわいそうでなくてはいけないのか（彼自身の障碍を持つ父親の、時代遅れで反PCすぎるマッチョさを演じてみせる）」といった、他のコメディアンが扱えないネタを不機嫌そうな表情で次から次へと披露する。

「左派には、高みからモラルを振りかざして尊大になりがちな人がいると思う。多くの左翼の人々は、自分は左派だからという理由だけで自動的に偏見がなくて、寛容な人間なんだと思い込む。それは本当に幼稚で嘘くさい政治的価値観の解釈だ。左派の人の中にも、レイシストやセクシストやホモフォビックな人はたくさんいるよ」とノーコットは語っており、これが彼の芸風の基盤だ。

スコットランドのレオ・カースも若手右翼漫談師の一人だが、「リベラルなコメディアンやジャーナリストが、何も批判できないような文化を続けている。資本主義は世界に巨大な富を与え、能率を上げ、無数の人々を貧困から救ったというような、明白な事実を指摘することができない」「WHOの数十年前からのデータを見れば、国別に、生活水準や寿命や人々の富が資本主義のもとでどれだけ増加したかがわかるよ」というような彼の得意ネタは、教条的に反資本主義を叫ぶタイプの左翼をおちょくることである。

要するに、現代の右翼コメディアンは、必ずしもレイシストでなければ、王室崇拝者でも、愛国的ですらないし、ハードコアな言葉を連発するブルー・コメディをやっているわけでもない。そうではなく、左派が定めた「安全な言動」の規範からはみ出してしまうものを扱って笑いを取る。

だから、例えばロンドン市内のカムデン・カフェのような、ヒップでリベラルな観客が集う場所での漫談ギグでも、ノーコットのような右翼コメディアンに出演依頼が来る。

このイデオロギーが入り混じるコメディ界のアナキーな状況を可能にしているの

が、ブレグジットであることは言うまでもない。

ブレグジット投票以後、英国の右翼・左翼の定義は変化した。右翼はブレグジットで離脱に投票した「ブレグジッダーズ」で、左翼は残留に投票した「リメイナーズ」と見なされるようになったからだ。となると、5年前にスチュワート・リーが書いた「左翼コメディは下から突き上げる拳で、右翼コメディは上から振り下ろす拳」の分析はもう通用しない。なぜなら、「ブレグジッターズ」は労働者階級が多く、「リメイナーズ」はミドルクラスから上の裕福な層が多いという調査結果が出ているからだ。

また、英国人の半分以上が離脱に投票しているのに、いくらコメディ界が左翼的とはいえ、離脱派が一人もギグに登場しないというのはリアルな社会と乖離（かいり）し過ぎている。一般に離脱派はレイシストでマイノリティ嫌いというイメージがついているが、実は移民やゲイの中にも離脱派がいたり、ふだんは左翼で通っている人がＥＵのテクノクラート独裁的な体制が嫌いだという理由で離脱に投票していたケースもある。逆に、移民には差別的な態度を取るビジネスマンがグローバル経済で儲けている残留派だったりして、ＥＵ離脱投票以後の右翼・左翼の区別はかなりぐちゃぐちゃしていて、もはや一筋縄ではいかない。

この様々な矛盾を露呈させるカオティックな時代の空気こそが、ＵＫコメディ界に奇妙な活気を取り戻させている。現代ではＰＣ的に無理と言われる「モンティ・パイソン」にも通じる、じつに意地の悪い、けしからん電流が再びその背骨に流れ始めているのだ。

ブレグジットとＵＫコメディ　2

シュンという日本人キャラ

群像　２０１８年６月号

２０１６年、すなわちＥＵ離脱投票が行われた年はＵＫコメディの分岐点だった。それを象徴しているのが、同年に放送された2本のシットコム（コメディ・ドラマ）である。

これらは、ヤバかった。どのくらいヤバいのかというと、テレビの前で大笑いしていいのか眉間に皺を寄せたほうがいいのか懊悩して中腰になっている間に次のパンチラインをかまされ、もう勘弁してと顔の筋肉は叫んでいるのに脳は笑うなと言うので悶えながらソファの上に倒れ込むぐらいの感じである。顔の笑いと脳の離脱現象。「モンティ・パイソン」で喜んでいた英国人たちはきっとこのやるせない体験をもってこのドラマシリーズを愛したに違いない。

チャンネル４は『Flowers』『Damned』という2本のシットコムを放映した。チャンネル４はＣＭが入る公共放送局という複雑な位置づけであり、ＢＢＣよりもターゲット層は若く、マイノリティや知識層を狙っている。所謂「尖った層」が見る番組作りを目指している局と位置づけられる。

『Flowers』は、1970年代のカルト映画『The Wicker Man』の「英国フォークロアの狂気」的な要素と、現代のメンタルヘルスの問題が増加する文化を組み合わせた、あるようでなかった画期的コメディだった。原作・脚本・監督を務めたウィル・シャープは英国人の父と日本人の母を持ち、8歳まで日本に住んでいた。

タイトルは「フラワー家」という意味であり、テーマは家族の崩壊だ。シリーズ冒頭から、子ども向け小説の作家である父親が、森の中で木にロープを吊って自殺しようとしている。で、自殺には失敗するのだが、彼の年老いた母親がこのときのロープを家で発見し、屋根裏に隠そうとして椅子から落ちてあっさり死亡する。作家の妻は隣家の工事を行っている大工の親方と不倫しているし、子どもたちは2人ともうつ病で引きこもっている。

「ダーク・コメディ」という言葉もあるが、このコメディは「ピッチブラック・コメディ」と呼ばれた。ダークよりもさらに暗い、真っ暗闇のお笑いという意味である。

原作・脚本・監督のウィル・シャープは俳優としても活動しており、本作でもシュンという日本人青年を演じている（ちなみに、彼はこの後、BBCとNetflixが共同制作した『義理／恥』にもロドニー役で出演している）。で、このシュンの描かれ方が、これがブレグジット投票後の英国でまかり通るのが不思議なほどPC的にまずい。

シュンはフラワー家の父親のアシスタントであり、彼の小説に絵をつける専属イラストレーターだ。ベタベタなジャパニーズ・アクセントの英語を喋り（実際のウィルは美しいミドルクラス・イングリッシュを喋る）、髪型からファッションまで「まじめでおとなしい日本人」のステレオタイプをきっちり再現。「日本人は雇用主の言いなり」の国際的イメージをこれでもかというほど踏襲しており、一家全員に男性版メイドとして扱われてエプロンがけで走り回り、「僕は奴隷」とつぶやくシーンすらある。

ウィルが日本人の血を引いているからこれが許されているのかもしれないが、あの（昨今では日本でもレイシスト新聞として表現されることの多い）デイリー・メール紙でさえ、同番組のシュンの描かれ方について、「このようなステレオタイプ化が、70年代のコメディが現代には再放送されない理由になっている」と書いたほどだ。実際、この番組を日本の人々が見たら、ちょっとした騒ぎになるだろう。

「PC違反だ」「レイシズムだ」と抗議運動を起こすには、在英日本人はそもそも数が少なすぎ、一つのマイノリティ・グループすら形成していないのかもしれないが、ソフィア・コッポラ監督の『ロスト・イン・トランスレーション』が公開されたときには、日系の尺八奏者キク・デイが、同作中での日本人の描かれ方はあんまりだと怒った。彼女は、同作に登場する日本人は、ひとりも尊厳というものを持たされておらず、意味もよくわからないのに滑稽なやり方で西洋のライフスタイルを真似している人間たちとして画一的な描かれ方をしているとガーディアン紙への寄稿記事で抗議した。「この映画の中では日本人が人間として描かれていない。日本人は、主人公のボブとシャーロットのラブストーリーのエキゾチックな背景に過ぎない。まるで安ホテルの汚い壁紙のように」と書いた彼女は、日本人が観客を笑わすための小道具としてしか使われていなかったことに憤りを覚えたという。

だが、この点では『Flowers』のシュンは違う。彼には、脇役ながらも人間性が与えられている。どこまでも人畜無害でぼんやりとして反抗することを知らない、29歳にしては妙に子どもっぽい青年としての「人柄」だ。そしてその間抜けな「人柄」が、あまりにもポストモダン的に崩壊した家族のストーリーに、一筋の温もりを与えている。

シュンは、嫌というほど「いまどきの日本人」、というか「西洋社会の人々が抱いている現代の日本人像」を象徴させられている。例えば、シュンにはアニメおたくの一面があり、机の周りの壁に自作のイラストを貼りまくっているが、それがMANGAのわりには妙に倒錯したポルノ画（浣腸しているキュートな豚の絵とか）ばかりなので、フラワー家の母親の気分を害して庭で燃やされていたりする。

また、いま日本人キャラを描くには欠かせない3・11の話も登場する。シュンは震災で家族全員を亡くしている。フラワー家の父親がスランプでうつ病になり、小説を書けなくなったために出版エージェントから解雇されそうになると、シュンは単身でエージェントのオフィスに乗り込み、拙い英語で何とか彼らを説得しようとする。が、相手は頑として首を縦に振らない。そこでシュンは手作りのイラスト集を取り出す。それは彼の家族が暮らしていた村が震災で全滅し、小さな妹が瓦礫の下で亡くなっているのを発見したときのことをミニ絵巻風に描いたものだった。

シュンは震災で家族を失い、孤独感に打ちのめされていたときに書店でフラワー家の父親が書いた小説の邦訳本を見つけ、それに感動して彼に手紙を送ったことがきっかけで渡英したのだと説明する。

「どんなにひどいことがあっても人間はサバイバルできる。それが彼の本のメッセージだ」

と言うシュンを見て、エージェントたちは感極まったように顔を見合わせ、頷き合う。そして言うのだ。

「でも、ダメです」

シュンは呆然とする。

「でも、日本だったら、この状況ならふつうイエスになるのに」

「ここは日本ではありません」

とエージェントがダメ押しする。

ここでシュンが珍しく（あくまでも礼儀正しく）怒って震災イラスト絵巻を片付けているのを見ると、笑うべき箇所なのかどうかわからなくなる。「ペーソス」という出来合いの言葉で呼ぶには、ユーモアと悲哀があまりにも溶け合っていない。PCで表現が制限され、安心して笑える「ほのぼの圏」に留まっていたコメディ界で、この戸惑いはしばらく感じたことがなかった。

ウィル・シャープの日本人キャラの描き方は、「愛憎」と言うほどドロドロしていないが、「愛蔑」とでも呼びたくなるような、対象を愛したい気持ちと蔑みたい気持ちが唐突にボコボコと突出し（たぶん彼の中でも）消化不良なので、見る者は予定調和的に笑うことができない。もしもこれを新種のレイシズム・コメディというのなら、異なる人種の両親から生まれた、複数の民族性を持つ人々が活躍する年代に入っている英国では、このタイプはこれから増えていくのかもしれない。

このことは、「確立されているように見える定義をやみくもに信じて判断を下すのではなく、自分でじっくり考えてから判断しろ。なぜならあらゆる定義はこれからまだ変化していく未確定の領域だから」と言われているようでもある。そしていまこうしたコメディが英国で生まれているのは、やはりブレグジットという予定調和的でなかった事象と無関係ではないだろう。

ブレグジットとＵＫコメディ　3

辛気臭い道徳の時代からの解放

群像　２０１８年７月号

　さて、ブレグジット以降のＵＫコメディがヤバいという話をだらだらと続けてきたが、最後にもっともアナキーなものを取っておいた。チャンネル４で２０１６年から２０１８年にわたって２シリーズが放映された『Damned』だ（注：70年代のパンクバンドの名とは無関係）。

「日本社会は、英国で言う概念での『社会』にはなってないよね」

　という議論が英国在住の日本人の間で展開されるとき、まずその主張の根拠として挙げられるのが、

「だって日本は、子育てを社会化していない。政府が子どもを親から取り上げたりしない」

　ということである。実の親による養育が適切でないために、福祉の手によって親から子どもが保護される、というケースは英国ではそう珍しいことではない。貧しい公営住宅地などでは特にそうである。うちの息子のクラスにもフォスターペアレンツ

（里親）のもとから学校に来ている子がいるし、「私はフォスターファミリーに育てられた」という知人がわたしにも2人いる。

「お上が親から子どもを取り上げる」という悲劇は、例えばケン・ローチが観客を号泣させる映画を作るときの題材だ。深刻すぎてふつう笑えない。が、このおよそコメディには不向きに思えるサブジェクトに手を出したのが、ソーシャルワーカーたちを主人公にしたシットコム、『Damned』である。

共同脚本家の一人であり、自ら主演しているのは、ベテラン・コメディエンヌのジョー・ブランド。彼女は精神科の看護師（ちなみに母親はソーシャルワーカー）として働いた経験があり、精神科病棟の日常をネタにした漫談でブレイクした人だ。そばで人が死のうが発狂しようが微動だにしなそうな肝っ玉母さん風のヴィジュアルと、「私はすべて見てきた」というような醒め切った目つき&抑揚のない口調が特徴である。

このシットコムの舞台は、ある地方自治体福祉課のチルドレンズ・サービス、つまり児童保護の部署であり、ここで働くソーシャルワーカーは、貧民街ではすこぶる評判が悪い。「ソーシャル（ワーカー）に目をつけられるぞ」「ソーシャルが家に訪ねて来やがった」みたいな会話は、うちの近所のような貧しい界隈では頻繁に交わされており、「ソーシャル」といえば、親と子を引き離す鬼のような存在として恐れられている。

『Damned』の「ソーシャル」たちも、子どもが同居しているのに自分の部屋で客を取っている移民の売春婦の母親、ドラッグ中毒で団地の部屋の壁を血まみれにしている暴力的な若い親、乳児に与えるべきでない食品を与えている発達障碍者のカップル、などと日々向き合って仕事をしている。この赤裸々な英国のある階級の描写は、手前味噌ながら拙著『子どもたちの階級闘争』にも通じるのであるが、このシットコムのすごいところは、このようなシリアスなネタで人を爆笑させる点だ。

随所で福祉課のチルドレンズ・サービスにかかってくる電話の声が挿入され、ソーシャルワーカーたちのオフィスの忙しさを演出する効果音として使われているのだが、

「12歳に飲ませていいアルコールの量を教えて」

「あたし旅行するから、その間、子どもを預かってもらえない？」

「あんたたち、あたしの子どもたちを取って行ったんだから、ゴミも持って行ってくれない？」

などダイハードな言葉の数々で、最初は笑っていいのか戸惑うのだが、やっぱり連発されると笑ってしまう。

「耳を疑うような電話がかかることがある。『娘が何日も学校に行かないから見に行

ったら、自分の部屋で出産してた』と言ってくる母親とか」

と言っていたのはコメディの登場人物ではなくて、実際にソーシャルワーカーをしているママ友だが、『Damned』はその一歩先を行っていて、中学生の娘に子どもを産ませて闇で売っている親も出て来る。

ケン・ローチはこんな話は描かない。彼の映画が彼の政治思想の発露である以上、基本的に弱者は善人でなくては説得力がなくなるからだ。だから彼の描く弱者が福祉に子どもを取り上げられたりすると観客は涙するのだが、『Damned』には泣く気になれない親たちがたくさん登場する。

それは、しょうがないよね。

というケースの連発なのである。

では、同作は下層のダメ親たちをデフォルメして人を笑わす、いわゆる「チャヴ差別」で笑いを取るタイプのシットコムなのかというと、それも違う。そこが例えばゼロ年代の『リトル・ブリテン』と同作が異なるポイントだ。

『Damned』が単なるチャヴ嘲笑コメディになっていないのは、彼らに「鬼」と呼ばれるソーシャルワーカーたちも同様にだらしないからだ。

まず、彼らは不潔だ。福祉課のオフィスのキッチンがすごい。誰も片づけをしないので、仮病で早退したいときは冷蔵庫の中に顔を突っ込めば必ず嘔吐できるほど汚い。

「はい、祖母が面倒を見ている子どもが、栄養不良な感じで汚れているんですね……」

と電話で通報を受けてメモを取っているソーシャルワーカーがいれば、そのそばで同僚が、

「あんたんちの子どもじゃないの？」

と呟いているし、問題家庭を訪問しているはずのソーシャルワーカーはそそくさと転職の面接に行っている。

上司に予算を削減され、「私は一人でこのファッキン緊縮財政と闘っているのよ」が口癖の女性課長の中学生の息子は女教師と淫行しているし、シングルマザーのソーシャルワーカーが帰宅すれば家で子どもたちの面倒を見ているはずの別居中の夫がSkypeで子どもたちに本を読んでいる。

つまり、ここでは「ソーシャル」に目をつけられている人々だけでなく、目をつけている側もみんなダメなのだ。「親はかくあるべき」「子どもはかく育てられるべき」という道徳の象徴である「ソーシャル」たちの日常が、子を取り上げられている人々と大差ないほど乱れている。この道徳に対するスタンスこそが、児童保護というあり得ない題材でのコメディを可能にしているのだ。

ひと昔前までは、「抵抗」や「叛逆」が左翼やリベラルのテーマだったが、現代ではそれが「道徳」にスライドしていると言われて久しい。多様性や包摂などのリベラルな概念がメインストリームになるにつれ、「こんなことを言うのは危うい」「こんなことをするのはダメ」と他者の過ちを指摘し、正しさを説くことがその存在意義に変わってきたからだ。

だが、正しさや道徳の推進はコメディにならない。むしろコメディとは非道徳的で、人に褒められてはいけないものだったはずだ。この辺りの葛藤はコメディを停滞させた。圧倒的にリベラルや左翼が多いコメディ業界が、「正しくないもの」を作れなくなっていたのである。

ところが、『Damned』では道徳がスカッとぶっ壊れている。このぶっ壊れを逃れている人が一人もいない点で、登場人物はあまねく平等だ。

例えば、ブレグジットに繋がった現象の一つと言われる「チャヴ差別」は、リベラルで道徳的な人々による、貧しい労働者階級の道徳の乱れに対する侮蔑と嘲笑という一面もあった。つまり、道徳が差別と分断の原因になってきたのだ。けれども『Damned』では、ミドルクラスもアンダークラスもソーシャルワーカーもドラッグ依存症者も英国人も移民も、「不道徳」という点でユナイトしている。壊れているのは特定の人々だけではない。我々はみんな壊れている、というわけだ。

ブロークン・ブリテン上等、と言わんばかりの、このやけくそのユニティーがいいことなのか悪いことなのかはわからない。だがきっと、「いいこと」か「悪いこと」かをすぐ問う習性じたいがせせこましい人心のデフレ時代を象徴しているのだ。「道徳」の概念は景気が悪いときにせり上がってくるということはよく言われる話だが、緊縮財政のせいで全体的に暗く窮屈な世相の英国で、こうした絢爛豪華なまでに不道徳なコメディが出現しているのは、業界の変化の兆しだろう。

道徳に支配されてたまるか、という反抗心をコメディが取り戻しつつある、と見てもいいのではないか。英国文化をヴァージョンアップさせているのはこのアンチ道徳を表現してはばからない精神なのだと思う。人でなし上等。アナキーで行こう。

英国英語はしちめんどくさい

群像　2018年8月号

むかし、英国でチャータード・インスティテュート・オブ・リングィストという機関の試験を受けて翻訳者資格を取った。で、そのときにロンドンの夜間大学の試験準備コース講師から最初に教わったのは、ユナイテッド・キングダム（UK）のことを「イギリス」と訳してはいけないということだった。

講師いわく、「イギリス」というのは、むかし日本人が「イングランド」（発音的に「イングリッシュ」のほうだろう）という言葉を聞いてそれが訛ったものなので、実際には、ウェールズやスコットランド、北アイルランドを含まない。だが、なぜか現在、日本人が「イギリス」と呼ぶものは、これらの地域を含むUKのことである。

このため、例えば在英日本大使館のパスポート申請書などの公式書類では、「連合王国」をUKの正式名称として使用している。だから、あなたがたも英国でプロ翻訳者を目指すのであれば、UKを「イギリス」と訳すような初歩的ミスを犯すなよ、でも「連合王国」と言っても日本の人にはどこの王国のことだかわからないので、「英国」と訳しておくのがプロの仕事です、とコース初日に教わった。

その時点でわたしは在英4年目だったが、何の疑いもなく「イギリス」という言葉を使っていたのでこれには衝撃を受け、英国英語とはなんとしちめんどくさいものなのかと思ったが、実際のところ、本場のイングリッシュというやつは、住めば住むほど、わかるようになればなるほど、ややこしい。

例えばいまわたしはハンバーガーを食らいながらこれを書いているが、「夕食」一つとっても、「ディナー」と呼ぶ人、「サパー」と呼ぶ人、「ティー」と呼ぶ人がいるし、昼食を「ディナー」と呼ぶ人もいたりするから混乱する。「北部の人は夕食をティーと言う」「南部はディナー」という大雑把なコンセンサスはあるが、しかし北部と南部の境界線が具体的にどこなのかわからないし、南部にも「ティー」と言う人たちはいる。

英語講師の英国人カップルが主宰する「Same Same But Different」というサイトが、この地理的境界線を示す地図を発表し、大きな話題を呼んだ。同地図によれば、ヨークシャーのピークディストリクトを中心とする円形で囲まれたイングランドど真ん中の内陸部が「サパー」、その円から北海の方に（東に）水平に線を引き、さらに円の下側から南端のサザンプトンまで線を引き下ろしてグレートブリテン島を2つに分け、南東が「ディナー」を使う地域で、南西と北部が「ティー」を使うと示されている。この地図は、英インディペンデント紙やyahoo! newsにも転載されて「そうだったのか」「これは事実誤認だ」と巷で論争を巻き起こした。

もっとも批判が集まったのは、英国の方言や訛りを分析するのに、階級の軸が考慮されていない点だった。とくに食事を意味する言葉には、階級的な生活史が深く織り込まれているからだ。

「ブレックファスト」は全階級ともに朝食のことだ。しかし「ランチ」はミドル&アッパー・クラスでは正午近くに食べる軽い食事のことだったが、労働者階級は昼どきにメインの食事を取っていたので、昼食を「ディナー」と呼んでいた。これは、労働者階級は午後に長時間働くので腹持ちがするようにしっかりした昼食を食べたからで、心なしか語感もライトな感じの「ランチ」は優雅な金持ちの言葉だったのである。

また、「ティー」という言葉は、ミドル&アッパー・クラスでは午後3時半から5時までの間に食べられる所謂「アフタヌーン・ティー」の意味で使われたが、労働者階級では、これが夕食を意味する言葉として使われた。昼間にがっつり「ディナー」を食べて夕方まで働き、夜は「ティー」と呼ばれる軽食で済ませるのが労働者のライフスタイルだった。

さらに、「サパー」はミドル&アッパー・クラスでは「ディナー」のようなコース料理ではなく、軽く済ませる夕食のことを意味するが、ヨークシャー州を中心とした中北部の労働者階級は夕食を「ティー」ではなく「サパー」と呼んでいた。他の地域の労働者階級は、「ティー」の後、就寝前に食べるトーストやサンドウィッチなどの軽いスナックを「サパー」と呼んだ。ちなみに、さらに物事をややこしくするのは、地域も階級も関係なく、日曜日の午後に家族で集まって食べるローストされた食事(代表的なものがローストビーフだが、ローストチキン、ローストポークなどいろいろあり、オーブンで焼いた肉の塊とローストポテト、野菜などをグレイヴィ・ソースで食べる)は何時に食べても「ローストディナー」と呼ぶし、学校の給食もランチタイムだが「スクール・ディナー」と呼ぶ。

他方、純粋に地域性のみで分析可能な言葉もあり、それは、いまわたしが食べているハンバーガーに使用されているような丸い小さなパンを意味する単語だ。「Same Same But Different」の地図によれば、中部レスター以南の英国南部と、インヴァネスより北のスコットランド北部は「ロール」(最南部と最北部が同じ言葉を使うのはおもしろい)、ノッティンガムなどの中部内陸部は「コブ」、中西部は「マフィン」「ティーケイク」「バーム」を使う3つの地域に分かれ、ウェールズ北部からチェスターにまたがる地域やランカスター、ヨークを含む東部では「バップ」、スコットランドのほとんどの地域では「バン」と呼ばれている。

だが、「地域や階級で英国英語の違いを分析すること自体がすでに古すぎ、現代では意味がない」というちゃぶ台返しのような批判も出て来た。

その根拠は、英国には（わたし自身を含め）移民が増えているからだというのである。

「サパー」「ティー」「ディナー」、いったいどれが夕食？　みたいな英国英語ネタはもはやアンティーク家具を愛でるようなもので、英国人どうしで会話するときはまだ地域や階級独特の英語を使う人々がいても、外国人がいる場所では、朝食は「ブレックファスト」、昼食は「ランチ」、夕食は「ディナー」と統一しないと通じない。そしていまや外国人と触れ合わずに生活することが不可能な英国では、地域性や階級性による独特の方言は消滅途上にあるという。

おもしろいことに、「Same Same But Different」のサイトを主宰するカップル自身が、海外で英語を教えるようになると、これまで喋っていた英語ではわかってもらえないのでスタンダードな英語を喋るようになったと書いている。つまり、外国人が周囲に増えると、言語は地域性や階級性を失い、単純化される宿命を負っているのだ。

ならばこれから英国英語はどんどんシンプルになって、めんどくささを失うはずである。

が、その結論に達するのはまだ早い。というか、事態は真逆の方向に進んでいる。外国人が増えているロンドン東部で、いわゆるコックニーと呼ばれる下町英語が消滅寸前の代わりに、ニュー・コックニーとも呼ばれる新たな言葉が誕生している。MLE（マルチカルチュラル・ロンドン・イングリッシュ）というこの英語は、ジャファイカン（ジャマイカ出身者のアクセントを真似た若者たちの英語）を基盤とし、西インド諸島出身、アジア南部出身の移民の英語、コックニー、河口域英語の影響を混ぜたハイブリッドな方言だそうで、「フレンド」が「ブラッド」、「リラックス」が「コッチ」、「ヴェリー」が「ベア」になるという。またこれが、ラップの流行と共に、ロンドンだけでなく全国のティーンにその影響を広げており、先日、わたしなんかも息子がスマホに面妖な言葉を打ちこんでいるのを見て驚愕した。

「Bare tings to do innit」

シェイクスピアでも原語で学んでいるのだろうかと思って聞いてみると、噂のMLEらしい。「I have a lot to do」の意味だという。もはや何のことやらさっぱりわからない。

EU離脱で英国が内向きになっているとお嘆きの方々。心配ご無用である。一度始まった多様化は、途中で止めようとしてももう止まらない。英国英語はストリートの低みで密かに溶解し、内向きもへったくれもない混沌へと進み始めている。

エモジがエモくなさすぎて

群像　２０１７年11月号

　英国に住んで21年になるが、時おり戻る日本で初めて目にしたとき、これだけは絶対に英国人はやらないだろう。と確信したことがあった。エモジである。携帯でしゃかしゃかメールを打ちながら、笑ってる顔だの、目がハート型になってる顔だのを文末に打ち込んでいる人々の姿を見たとき、これはいかにも日本的なファンシーな習慣であり、こんなものが英国に入ってくることはあり得ないと思った。

　ところが。いまや英国の友人、元同僚、家族に至るまで、携帯でSMSメッセージが送られてくるときは、必ずエモジがついてくる。人間というものは、「絶対あり得ない」と思っていたのにいつの間にかそうなってしまっていることをなし崩し的に忘却していることがある（これは人間が正気を保つための本能だという説もある）が、わたしにとってエモジはまさにそれである。

『The Emoji Movie』は英米双方で稀（まれ）に見る酷評を呼んだ。「むき出しのバカバカしさ」（ニューヨーク・タイムズ紙）はまだしも、「陰湿で邪悪な力に満ちている」（ガーディアン紙）とまで書かれ、ニューヨーク・ポスト紙の「エモジ映画は最低（サッドな顔！）」という見出しを見たときにはトランプ大統領のツイートかと思った。いつも無関心な顔をしていることを余儀なくされたエモジが、「僕にはほかの感情もある」と言って携帯ワールドで葛藤する映画なのだが、メディアの反応が酷い。というようなことをママ友とカフェで喋っていると、彼女は言った。

「最初は私もエモジ・スノッブの一人だった。絶対使うものかと思っていた。ウィンクしている顔のエモジなんて、チャーミングというより低能の象徴。感情があまりに単純化されて、送ってる人間も単純バカって言ってるみたい」

「ははは」

「それに、いわゆるブリティッシュ・ユーモアっていうか、皮肉とか風刺とか、そういう文化は、エモジみたいな奥行きのない表現にはフィットしない」

「それそれ。わたしは英国人はエモジを使うには複雑すぎると思ってたんだよね」

「私だって、数年前エモジを使い始めたときは、アイロニックに使ってるつもりだった」

そう言って彼女は紅茶のカップを置いてため息をついた。

「けど、いったん使い始めると、エモジのないテキストは妙によそよそしく冷たい感じに見えて……。1つか2つのエモジを使うだけで止められる抑制力のある人たちが羨ましい。私が送るメッセージなんか、ワイングラスやらバースデー・ケーキやらもうエモジだらけ。エモジっていつの間にか広がっていく疫病なのよ」

この疫病のせいであろうか。英国のSMSユーザーの80％以上がいまやエモジを使っているという。エモジには文法の複雑さや本物の言語が持つ豊潤で重厚な意味もない。だが、人類が共通言語を作り出すことがあるとすれば、いまのところ最も近いものだ。今日、世界中でソーシャルメディアを使用している人々の約90％がエモジを使っているそうだ。

とはいえ、史上最強の共通言語にも意味のズレはある。例えば、両手を合わせているエモジは、西洋社会では「祈り」や「希望」を意味するが、日本では「ありがとう」や「お願いします」になる。ロンドンの翻訳会社には、エモジ翻訳者までいるらしい。これなんかも、デヴィッド・グレーバーの言う「現代社会のインチキ仕事」の一つなのだろうか。

世界中で使われているエモジの60％は「顔」を表すものだという。手のジェスチャーやハートなどの感情を表すエモジをそれに含めると、全体の4分の3以上になるそうだ。つまり、エモジは対話するときの表情やボディランゲージの代わりに使われていることになる。

「エモジのないテキストはよそよそしい」とママ友も言う通り、エモジ入りの文章のほうが反応が返ってくる確率も高いという。あのＩＳが、殉教者を表すグリーンの鳥や、勇敢さを示すライオンなどのエモジを使ったやけにファンシーなメッセージを発するのもそのせいだろう。オルトライトの間では、映画『マトリックス』を象徴する赤いカプセルのエモジ（白人ナショナリストの世界観を示すらしい）が人気だ。同志感を盛り上げるために使用されているのだろう。

このように、エモジは感情的な効果のために使用されているらしいのだが、そのわりには、エモさを希薄化する。例えば、電車が遅れているというテキストの文末と、祖父が夕べ亡くなったというテキストの文末に、同じ泣いている顔のエモジを入れて感情を代弁させるのは奇妙だし、同様に、怒っている顔のエモジで、友人にクッキーを盗まれたときと、恋人を寝取られたときの感情を代弁させることは本当のところは不可能だ。つまるところ、エモジというのは、剝き出しの感情をぶつけて他者を困惑させないように、感情のエッジを除去するものとして使われているのだろうか。

「ある意味、ＰＣにも似て、人の気持ちを慮（おもんぱか）るというか、エモジ入りのテキストを受け取ると、エモジなしで返事できなくなる。相手がどう感じるか想像すると心配で、文章だけのテキストは返せなくなる。だから蔓延していくのね」とママ友は言った。

これはＰＣではない。エモジ発祥国から別物が入りこんできて蔓延しているのだ。
エモジという忖度（そんたく）カルチャー。を日本は輸出している。

シェイクスピア・イン・エモジ

群像　2018年9月号

英国の公立校では7年生（日本で言う中学1年生）になると国語でシェイクスピアを学ぶ。公立の就学年齢は4歳であり、まずレセプションクラス（4歳～5歳児の小学校準備クラス）に入学し、満5歳で1年生になるシステムなので、7年生で中学に進学するときは満11歳だ。年齢的には、日本の子どもたちより1歳年下で中学に進学するわけだが、その年齢でシェイクスピアの複雑なストーリーを学ぶのは容易ではない。だいたい、人生というものの陰影やアイロニーを知らない11歳の子どもたちに『リア王』や『マクベス』などの深さを理解しろというのが無理であり、「なんかやたら人が死んだり気が狂ったりするよね」ぐらいの感想になるのはむしろ当然と言えよう。

ところが、学期末の国語の試験で、シェイクスピアの主要な戯曲のストーリーが課題になるというからうちの7年生の息子も困った。

「死んだ順番にメインキャラの名前を並べよ、とか、最後まで生きている登場人物は何人か、とか聞かれるんだって」

「それ、けっこうトリッキーじゃん」

「あと、登場人物の名前と死因とを線で結べとかいう問題もあるみたい」

という息子の話を聞いていると、シェイクスピア悲劇ってのは、つまるところ死亡のシークエンスなのかという気もしてくるが、一番簡単そうだからと選んだ『ロミオとジュリエット』でさえ、実際に話の要約を書けと言われると筋がけっこう入り組んでいることに気づき、覚えられないと嘆いていた息子がネットでいいものを見つけたという。

若い男女や老人の顔、ハート、ナイフ、骸骨、王冠、指輪、笑っている顔、泣いている顔、2つに割れたハートなどのエモジを並べてシェイクスピアの戯曲のプロットを要約しているサイトがあるというのだ。これは「BuzzFeed」が掲載しているエモジ・シェイクスピア・クイズで、1列に並べられたエモジ群はどの戯曲のストーリーを表現しているか当てなさいというゲームだが、これは役に立ちそうだ。これならストーリーの順番を覚えられると息子は大喜びだ。

シェイクスピア・イン・エモジ。文豪シェイクスピアがこれを見て何と言うかは不明だが、こんなものを使って覚えようとしているのは実はうちの息子だけではない。

日本発祥のファンシーなエモジは、いまや英国でも広く普及しており、現在、英国のSMSユーザーの80％以上がエモジ入りのメッセージを送っているという統計もある。これだけ日常的なものになれば、「使える」と思う教育者も出て来るもので、エモジでシェイクスピアを教えている学校が増えているという。２０１８年5月18日付の英紙インディペンデントの記事によれば、シェイクスピアをエモジで教える国語の教員たちが増加中で、子どもたちがシェイクスピア文学に親しみを覚える突破口になっているそうだ。エモジは21世紀の教育現場を助けるツールになっているらしい。

「ちょうど『真夏の夜の夢』を教えたばかりです。シーンの一部をみんなで読み、２つのエモジでその部分の要約を作らせ、その説明をさせました」

と、ある教員が記事中で話している。彼女によれば、ストーリー全体をエモジで教えているわけではなく、特定のエモジを選んだ理由を子どもたちに説明させたり、書かせたりしているので、より深い理解や集中力を促すための「とっかかり」として使っているだけだという。彼女が勤めている学校の国語の教員は全員エモジを授業で使っているそうだ。

他方、エモジでシェイクスピアを教えることに強く反対する教員たちもいる。

「シェイクスピアの複雑さをエモジで単純化してはならない」

と、教育者であり作家であるマーティン・ロビンソンは書いている（tes.com）。むしろ理解の「とっかかり」としてエモジを使っていることこそが問題であり、ジェスチャー、表情、速度、強弱、静止、声音、抑揚などを用いて包括的に感情を表現するシェイクスピア戯曲の重厚さに立って理解への扉を開かねばならない、と彼は主張する。芸術は、すぐ理解させようとしてはならないということを、「良きものは待つ者のところにやって来る」の諺を用いて訴えている。

ロンドン東部の小学校校長は、教育格差の見地からコメントしている。

「このような学び方が（貧困層と富裕層の子どもの）言葉の格差を埋めることになるとは思えません。私立の名門校の子どもたちが持っているような強力な知識を、どうすれば貧困層の子どもたちが得られるように助けることができるでしょう。それは、貴重なカリキュラムを、若者のサブカルの残骸のようなもののために使うことではありません。それではひどくなる状況を手をこまねいて見ているようなものです」

と、教育現場へのエモジ参入に憤慨している。

だが、これが国語の学習ではなく、外国語の習得となるとエモジは大変に有用だという声もある。エモジで外国語を教えれば、いちいち母語でものを考えてから外国語に翻訳するという癖を取り除くことができるという。

これは2ヵ国語を使って生活している人々にはわかりやすい説だろう。空を飛ぶ動物の姿を見て、「鳥」といっぺん頭の中で母語化して「BIRD」に翻訳するのではなく、鳥の姿を見てダイレクトに「BIRD」を連想できるようにするためにエモジが役立つというのだ。母語ではない言葉で話をしたり書いたりするときに、まず母語で考えるという無駄なプロセスを省く訓練のツールになるという。

「テキストの中では、できる限り英語を取り払い、エモジに変えています。そうすれば生徒たちはフランス語の言葉を、英語の訳語ではなく、イメージと関連付けることができるからです」

と中学校の外国語教員がインディペンデント紙に話している。これは日本語のような、英語とは文法的語順が正反対の言語を母語とする人間には非常に有効なのではないだろうか。一度日本語で考えた文章を頭の中で英語に訳してから発していたのでは、日常の暮らしのスピードでは会話に追い付けないことを経験した人は少なくないはずである。

つまり、国語を教える場合には「複雑な言葉を瞬時に単純化してわからせるのは有害」と言われるエモジが、外国語を教える場合には「複雑なプロセスを省いて瞬時に理解できるから有益」になるのだ。

であれば、移民が多い地域の、家庭で話されている母語と同じレベルでは英語を操ることができない子どもがいる学校では、シェイクスピアのような複雑な文学を教えるにもエモジは当然有効になるだろう。エモジには深みはないが、ユニバーサルだという利点がある。

ユニバーサルといえば、例えばスターバックスやマクドナルド、H&Mといったグローバル企業の店舗の展開法を思い浮かべると、ああ、あれもエモジ的なのだと思えてくる。個性や独特の味わいはないが、世界中どこに旅してもあって、店舗は似ているし、同じものが売っているから、現地の事情のわからない者には便利だ。

英国には、絶対にメールやSMSでエモジを使わない「エモジ・スノッブ」と呼ばれる人々がいるが、彼らはだいたいチェーン店も嫌いだし、そういうところで何かを買うことを堕落のように思っていることが多い。わたしのママ友にも、「息子が試験前にエモジでシェイクスピアのプロットを覚えていた」と言ったら、血相を変えて「そんなこと絶対にさせたらダメ」と言った「エモジ・スノッブ」がいて、彼女なんかもショッピングモールによくあるチェーン店を毛嫌いしているタイプだ。

「エモジのようにチープなものと、本物の文学を関連づけることは、ほとんど犯罪よ。エモジと文学は、ファストファッションとオートクチュールぐらい違う」

彼女はいたく憤慨した様子でそう言った。

でも、オートクチュールって、小金を貯めた年寄りかセレブぐらいしか着てないよな。

と思いながらわたしは笑っていた。

このときのわたしの心情を表現すれば、あごに手を当てて口を一文字に結び、「文学って何だろうね」と考えている黄色い顔のエモジになる。

パブvs.フードホール抗争に見る地べたの社会学　1

群像　2018年10月号

英国のパブことパブリック・ハウスの歴史は古い。もともとは、宿泊所と雑貨屋を兼ねた街角の飲み屋のことであり、パブリック・ハウス（公共の家）という名称からもわかるように、コミュニティのハブとしての地位を18世紀から19世紀にかけて確立した。

わたしが最初に英国を訪れ始めたのは1980年代のことだが、あの頃、単身旅行者の必需品であった『地球の歩き方』シリーズの英国編でも、パブを訪れるのは観光客のマストであると書かれ、どうやってパブで飲み物を注文すればいいかとか、英語を上達させたければまずパブに行って地元の人々と喋れとか、そういうことがけっこうなページを割いて書かれていた。

英国には2大長寿ドラマというのが存在し、それらはBBCの『イーストエンダーズ』（1985年以来ずっと続いていて、現在は週4日放送中。35年間続いている夜の連続テレビ小説と思ってもらえるといい）とITVの『コロネーション・ストリート』（1960年放送開始）だが、地元のパブを中心にストーリーが展開されており、こうした国民的ドラマを見ても、かつてはパブが英国庶民の暮らしの中でなくてはならない役割を果たしていたことがわかる。

かつて、という言葉を使ったのは、現在はその限りではないからだ。地元のパブを中心に生活を展開している英国の人々は、現在ではごく少数派になってしまった（「しまった」というネガティヴな表現を使わずにいられないのは、わたしが酒飲みだからだが）。英国のパブ業界は衰退の一途を辿り、全国的なパブの数の減少が叫ばれるようになって久しい。

ザ・ブリティッシュ・ビア・アンド・パブ・アソシエーション（BB&PA）によれば、過去35年間で英国内のパブの4分の1が閉店している。大都市にその現象は顕著で、ロンドンでは33地区のうち32地区で、2001年と比較するとパブとバーの軒数が減少している。

海外でも英国名物という認識が定着し、国内でも地域の人々を繋げる公共のハブだった場所が、なぜそんなに減少してしまったのだろうか。BB&PA の幹部、デヴィッド・ウィルソンは、その理由につき、

「人々は以前より長い時間を自宅で過ごすようになっています。自宅のテクノロジーと環境は、これまでになく快適なものになっているのです」

と米CNBCに話している。

さらに、EU加盟によって欧州大陸への移動が簡単になり、格安運賃の航空会社が台頭するにしたがって欧州の他国へ手軽に行けるようになったことにより、ワインを飲む文化が英国に入ってきたことも挙げられる。伝統的には、酒といえばビールかウイスキーだった英国で、ワインを飲む習慣が定着したのだ。過去を振り返っても、スーパーマーケットにこれほど多くの種類のワインが並んでいる時代は、いまだかつて英国にはなかった。いまやビール売り場よりもワイン売り場の面積のほうが広く、品数も充実しているほどである。

また、パブが全面禁煙になったことも客足を遠のけた一因だ。2007年に屋内での喫煙が禁止になって以来、パブは店の外に灰皿を設け、ベンチを置くなどして喫煙者がニコチンを補給できるようにしてきたが、天候に恵まれない英国である。小雨に濡れながら、冬の木枯らしに吹かれながらわびしく蛍になるよりも、自宅でゆったり飲みながらタバコを吸ったほうがいいと思う人が増えるのは当然だろう。

しかし、どうやらそれ以上に深刻な問題（別に問題ではないかもしれないが）がある。英国の人々の飲酒量が落ちているのだ。ロンドン市内の老舗パブ「ジェルサレム・タヴァーン」の支配人は、CNBCにこう語っている。

「若い世代は健康志向が強く、ランチタイムに酒を飲む若者があまりいなくなっていることに気づきました」

英国では、例えば金融街シティに勤めるエリートたちでも、ひと昔前まではランチタイムにパブでビールを飲んでいることは珍しくなかった。金曜日の午後などはほとんどもう週末気分で仕事などしていなかったので、ランチタイムからパブは大繁盛だったのである。しかし、健康的であることがファッショナブルである条件になった時代が到来してからは、都会の若者たちはパブに行く時間があったらフィットネスジムで汗を流す。「ビールよりもグリーンスムージー」の時代が来やがったのである（別にネガティヴな表現を使う必要はないが）。

で、アルコールで売り上げが取れなくなったパブは、食事で利益を上げることに経営戦略を切り替えた。いまでは、パブ・フードと呼ばれる伝統的な英国料理だけでなく、タイ料理、イタリア式の本格ピザなど、レストランよりおいしい食事を提供しているパブは少なくない。

「大多数の業者は、飲み物ではなく、食べ物で商売が成り立っています」

前述の老舗パブの支配人はそう語っている。

「英国の人たちは、パブでつまみを食べずにひたすらビールを飲む」

「パブ飯は味気なくまずい典型的な英国料理」

といった、ひと昔前までの英国パブの描写は、もはやロンドンなどの都市のパブには当てはまらない。ワインを飲みながら食事を楽しむ、という使い方でパブを利用する人々も少なくない時代なのだ（ケッ）。

こうした英国での飲酒習慣の変化が顕著に表れていたのが今年のサッカーW杯だった。

BBCのイングランド戦中継では、ハーフタイムに全国各地のパブで試合を観戦している人々の盛り上がりぶりを映すのが例年のならわしであった。しかし、今年はやけに広々とした明るい場所ばかりが映り、パブの店内らしき映像が一ヵ所もなかった。リヴァプールの野外設置スクリーンで観戦する群衆の姿の後で、イースト・クロイドンの模様が中継されたとき、見覚えのある光景にわたしはくぎ付けになった。ボックスパークというフードホールからの中継だったからだ。

フードホールというのは英国英語であり、米国英語にすればフードコートのことである。

サッカー観戦といえばパブ、W杯観戦といえばビール。だったはずだが、いまや英国の若者たちはフードホールに集まってイングランド代表チームを応援しているのである。

フードホールとパブの戦いが始まった、という主旨の記事が、英国の政治誌スペクテーターにも出ていた。同記事のライターは、W杯のイングランド対クロアチア戦をロンドンのトレンディな日本食専門フードホール「イチバ」で見たそうで、代表選手がゴールを決めたとき、パイントのビールを飲むのではなく、ずるずるラーメンを食べていたという。周囲の友人たちも、それぞれ別のフードホールでW杯を見たと言っていたそうだ。

広いオープンスペースにテーブルが多数設置され、薄暗いパブと違って明るい照明のフードホールは、インスタ映えするため、パブから多くの若者たちを奪っていると同記事は書いている。若年層には、「パイントはダーティ、ラーメンはクリーンと見なされている」というのである。

米国のフードコートはマクドナルドやサブウェイなどのファストフードの店が並んでいるが、英国のフードホールはもう少しハイソで、国際色豊かな各国料理専門店や、オーガニック食品しか使わないこだわりのバーガー屋、オイスター・バーみたいな店まで並んでいたりする。まあなんというか、都会的で洒落(しゃれ)ていて、健康的で清潔なのだ。

フードホールとパブの抗争は、現代の英国社会の分断を象徴しているようでもある。「首都圏と地方」「トレンディと時代遅れ」「若年層と中高齢層」。こうした軸による社会の二分化は、まさにブレグジットの残留派と離脱派の違いを語るときに使われてきたものだ。

地方の時代遅れな中高齢層はいまだ地元の薄暗いパブでパイントグラスを傾け、都会のトレンディな若者たちは明るく健康的なフードホールでエキゾチックな食事を楽しみながら飲酒する、という「田舎者」と「進歩派」のイメージである。前者はメディアが描き続けた離脱派の典型的プロフィールで、後者は残留派と言えるだろう。そう考えると、パブvs.フードホール抗争は、単なる飲酒習慣や食文化の問題ではなく、現在の英国社会全体を象徴する事象にも見えてくるのである。

パブvs.フードホール抗争に見る地べたの社会学　2

群像　2018年11月号

ブレグジットの離脱派と残留派との違いや各陣営の特徴は、様々なメディアでジャーナリストや識者たちがそれぞれの立場から語ってきたことである。

だが、中には、データを基に探ってみようという冷静な試みも行われ、離脱派と残留派のそれぞれのグループがFacebookに投稿したコメントを分析し、どのような言葉が頻出していたかを調査したサイトもあった。

ギフト専門サイトの「The New Man」が、離脱派グループ「Brexit HQ」と残留派グループ「We Are #StopBrexit」のメンバーによる3万の投稿コメントを分析した結果、離脱派が頻繁に用いていた言葉は「国」「ブリティッシュ」「人々」「ブレア」で、残留派は「ブレグジット」「人々」「労働党」「バカ」などだった。

スペルの間違いは離脱派で6300、残留派で4519見つかり、文法の間違いは離脱派で4843、残留派で30229見つかっている。さらに、使用された卑語の数は、離脱派が1518、残留派は316だった。ちなみに離脱派と残留派グループのジェンダー別の割合は、どちらも男性が約6割で大差ない。

また、大手世論調査会社のYouGovはEU離脱投票が行われた2016年6月から、離脱派と残留派の意識調査を継続して行っている。英ガーディアン紙がこの調査結果をまとめた「セックス、スラング、ステーキ：離脱派と残留派はまったくかけ離れていることを示す見解たち」というタイトルの記事を見てみよう。

「もしもEU離脱投票以降、英国は分断されているとあなたが感じているなら、それはあなただけではない。2016年6月からのYouGovの調査は、離脱派と残留派はほぼすべての事柄について口論するだろうということを示しているのだ」という文章で始まるこの記事は、世論調査が示した両派の趣味嗜好や考え方の違いをリストアップしている。

まず目を引いたのが「ステーキの焼き方」である。しっかり中まで焼いたウェルダンが好き、と答えた人は離脱派で約23％。他方、残留派では12％だった。残留派の間ではミディアムレアが人気だった。

これなどは、お若い方々はご存知ないかもしれないが、英国には狂牛病でビーフ・パニックが起き、怖いから肉はどんなものでもしっかり火を通して食え、が常識の時代があったことも関係しているだろう。ウェルダンを好む人々はこの時代を引きずっているとも言えるし、伝統的にはパブ食も、やはりコチコチになるまで焼いた牛肉だった。80年代に初めてパブでローストビーフを食べたときに「英国のローストビーフは赤くない」と驚いたことを記憶している。ミディアムやレアな肉の楽しみ方は、わりと最近になって下々まで広がったものなのである。

離脱派は肉食を好むという結果も出ている。環境問題にかかわる質問で、将来的に今より食肉や食肉製品を食べることを控えるのは不本意だと答えた離脱派は24%。残留派では9%だった。

性の問題に関しては、30%の離脱派が合法的に中絶が可能な期間（現在は妊娠24週目まで）を短縮すべきと考えており、残留派では25%だった。さらに、「ゲイやレズビアンであることは、本人が選択したことだ」と考える離脱派は35%、残留派でも28%いた。

地べたの英国英語の代名詞として使われてきたロンドンの下町言葉、コックニーに関しては、離脱派のほうが造詣が深い。「Jack Jones（一人ぼっち）」「Ruby Murray（カレー）」を含む10語のコックニー・スラングのテストでは、すべての質問で離脱派が残留派よりも高い正解率を出した。

こうした調査結果を見ていると、一般に言われている「進歩的な残留派」と「取り残された離脱派」のイメージがどこから来ているのかがわかる。パブとフードホールの抗争に話を戻せば、やはり地方のパブでビールを飲みながら焦げたローストビーフを食べている人はEU離脱に投票した可能性が高そうだし、都会のフードホールでミディアムレアなビーフを使った発音の難しい名前の大陸料理を食べながらワイングラスを傾けている人が「英国を取り戻せ」と言って国旗を振っている感じはしない（もちろん、断っておくが常にそうだと言っているわけではない）。

離脱派と残留派の分析については、ちょっと前に「Anywheres（どこでも派）」と「Somewheres（どこかに派）」の議論もあった。これは、フィナンシャル・タイムズの元記者で、政治誌プロスペクトの創設者・編集長だったデヴィッド・グッドハートが２０１７年の著書『The Road to Somewhere: The Populist Revolt and the Future of Politics』で論じた考え方である。

彼によれば、英国社会には、どこかに定住することを欲し、自分の住むコミュニティに強い愛着を抱く「どこかに派」と、世界のどこでも暮らしていける「どこでも派」がいるという。彼の見立てでは、「どこかに派」は人口の約半数で、「どこでも派」は20%から25%になるという。

以前、ある共著のなかで、この説に触れたとき、日本のリベラルを名乗る方から、「どこかに派」と「どこでも派」のカテゴライズは差別的であり、国際的に活躍する知的エリートたちに取り残された「どこかに派」をバカにするもので、危ういと批判された。わたしが提唱した説ではないので（何かを紹介しただけで怒られる情報殺菌時代がやってきたのかと）当惑したが、それ以上に興味深いのは、実はこの説は京都大学大学院工学研究科教授の藤井聡（ふじいさとし）氏も紹介しており、保守派の氏は、「どこでも派」こそ人間として「壊れている」と発言していることだ。氏によれば、人が故郷に愛着を抱くのは自然なことで、そうした感情が希薄な「どこでも派」は根無し草であり、人間として何かが欠けているという。

「どこでも派」は、グローバル経済の恩恵に与（あずか）ったスマートな勝ち組というイメージがあるが、これは人間だけの話ではない。企業もそうだ。アマゾンのような企業は完全な「どこでも派」であり、グローバルであることを利点としてどの国でもたいした税金を払わずに莫大な利益をあげているとして批判の的になっているが、藤井氏風に言えば、こういう企業も「壊れている」ことになるのだろう。

客観的に見れば、リベラルには「どこでも派」がクールに、「どこかに派」が弱者に映り、保守派には「どこかに派」こそが真正な人間で、「どこでも派」は欠陥を抱えているように映るというのは面白い。が、客観的な面白みは置いておいて、わたし個人のことを言えば、わたしは生まれ育った国を出て生活しているので「どこでも派」になるのかもしれない。そういえば確かに、祖国にいる親の介護問題を妹に任せっきりにしている点など、まごうことなき人でなしである。人として壊れている。その自覚はある。

だが他方では、英国からは移住する気が全くないし、田舎者だし、生粋のパブ派なので、「どこかに派」であるとも言えよう。

このように「どこでも派」と「どこかに派」の間を彷徨(さまよ)う人のことは、「中間派(Inbetweeners)」と分類されるが、これは両派を行ったり来たりする人々だけのことでもないだろう。大筋は「どこでも派」なのだが、自分たちの「人でなし性」を知っていて、自分らもどこかで税を払うべきじゃないかと思っている企業・個人や、「どこかに派」なのだけれども、「どこでも派」が勝ち分をコミュニティに還元してくれる限り彼らの生き方をとやかく言うつもりはないという人々も入るはずだ。

だとすれば、このクラスタが実は一番多い。

「どこでも派」と「どこかに派」の闘いも、パブとフードホールの抗争も、実はあんまり意味はないのではないか。決定力を持つ層は「中間派」だからだ。それなのに、「パブだ」「フードホールだ」と喧嘩ばかり煽られている間に、ブレグジットは離脱方針さえいまだ混乱しているという体たらくである。

だいたいもう、ブレグジットじたいに飽きたという人が半数以上を占めるという調査結果もあるのに(離脱派54%、残留派55%。YouGov 調査)。

そろそろビールでは寒い季節になってきましたね。

わたしだって本当はスペインの赤ワインも大好きですよ。

緊縮の時代のフェミニズム

群像　２０１８年12月号

　わたしが住む街の大学で、全国的ニュースになる出来事が起きた。

　ブライトン大学の新入生歓迎祭に、セックスワーカー支援団体のブースが出ていたというのだ。ブースを出していた団体はＳＷＯＰ（Sex Workers' Outreach Project SWOP Sussex）。ブライトンに本部があり、サセックス州でセックスワーカーとして働く女性たちの身体的、精神的な健康や職業上の安全を改善するために活動している慈善団体である。

　全国紙はこの一件を大学のスキャンダルとして取り上げ、「ブライトン大学が売春を勧めて非難される」（テレグラフ紙）、「新入生歓迎ウィークのブースで『売春婦になる方法』を学生にアドバイスした大学に怒り噴出」（サン紙）と派手に書き立てた。しかし、問題のブースはセックスワークの斡旋（あっせん）を行っていたわけではなく、セックスワーカーの法的権利について書かれたリーフレットやコンドームを配ったり、セクシュアル・ヘルスに関するクイズゲームを行ったりしていたのだった。

SWOPは同大学の新入生歓迎祭にブースを出すことを、「6人に1人の学生がセックスワークをしたり、セックスワークをすることを考えています。私たちが助けになります」とツイッターに書いて告知していた。

実は、保守系新聞以上にこの件を弾劾したのは一部のフェミニストだった。労働党議員のセーラ・チャンピオンは、「ブライトン大学が新入生に売春婦になるためのアドバイスを提供している。1. 彼らは組織犯罪・虐待者と結託している。2. これは警戒心を解いて手なずける行為。3. どうしてこれが向上心をかきたて、ジェンダーの規範に挑戦することになるの？」とツイートした。もっと辛辣だったのはフェミニズム運動家で作家のジュリー・ビンデルの発言だ。彼女はガーディアン紙にこうコメントしている。

「不面目どころではありません。激しい怒りを感じます。セックスワークがふつうのことであるかのように扱われ、まるでそれが害のない、尊敬すべき生計を立てる方法であるかのように、女性たちに売春の手引きをしているのです」

こうした非難の声に、SWOPは、自分たちはセックスワークを美化しているわけではないと反論し、学生たちがセックスワークをしなくてはならない理由は理解できるし、そのために脆弱な状況に立たされる学生たちのために偏見のない支援とアドバイスを提供しているのだと主張した。

当のブライトン大学は、「新入生歓迎祭は学生たちが学生たちのために企画したイベントであり、学生自治会によって運営されています」と直接の責任を回避したうえで、問題の件については然るべき調査を行うという声明を出した。

学生自治会の会長は、「SWOPが新入生歓迎祭に参加したのは、もしも必要があれば、同団体の専門家のサポートが受けられるということへの認識を高めるためです。セックスワークを一つの選択肢として新入生に勧めるために来てもらったわけではありません」とサンデー・タイムズ紙に話している。

6人に1人の学生がセックスワークを行ったり、または行うことを検討しているというのはなかなか衝撃的だが、近年の大学生たちの状況を鑑みればリアルだ。2015年の段階で、スウォンジー大学の学者たちによるステューデント・セックスワーク・プロジェクトの調査によれば、約5％の学生がセックスワークに従事していた。そのうち4人に1人が仕事で危険を感じたと答えていたという。

こうしたデータを踏まえれば、学生セックスワーカーに支援をオファーすることは、感情論ではなく、現実的に必要だ。英国の大学の学費は、現在、一年間で9000ポンド（約134万円）を超える。学費ローンでこれをカバーできても、学生用生活費ローンは最高額で年間8700ポンド（ロンドンでは1万1354ポンド）だ。ブライトンでは、月額725ポンドになる。これはブライトンの水準ではワンルームのマンションも借りることができない金額である。

学生たちがセックスワークを選ぶのは、経済的な事情が存在しているからだ。大学授業料の無償化（もともと英国では無償だったのだから）、高騰する一方の家賃の上限設定、学生のための無料宿舎、生活費をカバーする奨学金の復活など、学生に優しい政治がおこなわれたら、危険をおかしてまでセックスワークをする学生は減ると考えられる。

今回、問題になったブースを出したＳＷＯＰは、ブライトン・オアシス・プロジェクトという慈善団体の一部であり、この団体ではわたしの友人が働いている。むかし、わたしが失業者や低所得者の子どもたちを預かる無料託児所で働いていたときの同僚だ。

オアシス・プロジェクトはブライトン中心部に拠点を構え、アルコールやドラッグの問題を抱えた女性たちが回復するためのプログラムやサポートを行っている。わたしの友人はそこを利用する女性たちの子どもを預かる託児所で働いているが、このブライトン大学の一件以来、いやがらせや抗議の電話やメールが殺到しているという。

「なんかもう、意味をなさないことを延々とがなっているおばさんとかいて、単なるストレスの捌け口になってるんじゃないかな。いま、幸福じゃない人が多いんだなあっていうか、批判されているものを見つけたら、それ行けって感じで攻撃してくる」

とオアシス・プロジェクトに勤める友人は電話で言った。

「みんな安心して攻撃できる対象を常に探しているのかもね」とわたしが言うと、

「現実の社会もソーシャルメディア化しちゃって……」と友人はため息をつき、話を続けた。

「あなたたちのような団体があるから、大学生がセックスワークをしたり、シングルマザーがドラッグをやったりする、ブロークン・ブリテンをつくってるのはあなたたちのような慈善団体だって事務所に怒鳴り込んできた女性もいる」

「テレグラフかデイリー・メールの読者かしらね」

「そうかと思えば、よそのチャリティーの人たちからも物言いがついて……。こういう目立つことをされると困るとか言って来るの。やっぱりセックスワークとなると、リベラルの中にも眉を顰（ひそ）める人たちがいるから、こういうことでテレビやネットで派手に話題になると、自分たちの団体にも風当たりが強くなって、寄付が減るんじゃないかって気にしてるんじゃないかな」

「……なんとも世知辛い世の中だね」

緊縮で経済が縮小し、人心も余裕をなくしシュリンクしたこの時代、いらんことをして目立ってくれるなと、女性や貧困者を支援している慈善団体どうしでも牽制し合うようになっているのだ。一昔前なら、「いろいろ叩かれているみたいだけど、応援しているから」と温かいエールの一つも送ってくるのがふつうだったろう。

後日、SWOPの母体であるオアシスに友人を訪ね、ブライトン大学で配布されたリーフレットを見せてもらった。セックスワークをめぐる法の枠組み、安全に顧客の予約を受けるための注意点、問題が発生したときに相談できる団体の情報などがまとめられた、簡潔で丁寧なものだった。これをもらったからと言って、セックスワークがしたくなる学生もいないだろう。このまじめなリーフレットの内容を、激怒しているフェミニストたちは現物の形で読んだのだろうか。

同団体で出会った女性たちは、こう話してくれた。

「もしも新入生歓迎祭で支援プロジェクトのブースが出ていたとしたら、私なら心強く思う。この大学は、たとえいまは私がどんな仕事をしていようと、私に勉強して成功して欲しいんだなって、すごく嬉しく感じると思う」

「大学を卒業してもインターンになれば収入はないからセックスワークを続ける人たちもいる。若者にセックスワークをさせているのは社会なんだ。フェミニストはそこには文句を言わないで、セックスワークにだけ反応する」

ある種の懲罰性をもつフェミニズムは、緊縮の時代の女性たちをさらに生きにくくしているのではないか。元セックスワーカーだったという職員の言葉が印象に残っている。

「いま必要なのは、イデオロギーじゃなくて、シスターフッドだよね」

モナキー・イン・ザ・UK—Monarchy in the UK—その1

群像　2019年1月号

むかし、セックス・ピストルズというパンクバンドが、「Anarchy in the UK」という歌をつくったことがあって、わたしなんかもティーンの頃からムカつくことがあるたんびに何度その曲を大音量で聞いてきたかわからないのだが、これ、日本では「アナーキー・イン・ザ・UK」と発音されることが多い。が、英語で発音される場合、カタカナ表記で最も音声的に近くなるのは「アナキー・イン・ザ・UK」だと思う。「ナ」にアクセントを置く「アナーキー」ではなくて、「ア」にアクセントを置く「アナキー」だ。

で、それとよく似た発音になるのが「Anarchy」の「A」を「Mo」に変えただけの「Monarchy in the UK」で、これもカタカナ表記にすれば「モ」にアクセントを置く「モナキー・イン・ザ・UK」が発音的に一番近いが、「アナキー」が「無政府状態、（政府不在による）政治的混乱、混乱、無秩序」などを意味するのに対し、「モナキー」は「君主制、君主国、王室」などの意味になるのだから、「ア」を「モ」に変えただけでえらい違いだ。ジョン・ライドン（最近は激太りで話題だが）とエリザベス女王ぐらいの違いはある。

　さて、そのエリザベス女王とその家族はロイヤルファミリーと呼ばれていて、当然ながらこれはわたしの故郷、日本国福岡県で創業したロイヤルホストとは何の関係もない。が、わたしが幼い頃、実家はたいへん貧乏だったにもかかわらず、母が父に内緒で福岡市の新天町（しんてんちょう）というところにあるロイヤル（当時は「ホスト」をつけて呼ばなかった）に連れて行ってくれるのが年に1度か2度の大イベントだったのであり、いまでも日本に帰るとロイヤルホストはハードルが高すぎるというか、高級レストランに見えて入れない。ガストにしようと思ってしまう。

　そしてロイヤルホストで食事をしている人々をガラス越しに眺めながら、「あんなところで飯が食える人々に貧民の気持ちはわからない」と羨望と妬みで真っ黒になった心情で歩き去るわたしと同じような視線でロイヤルファミリーを見ている人は英国にもいる。そういう人たちの意見というのは、だいたい左翼の新聞と呼ばれるガーディアン紙とかに載っているものだ。

　最近も、「王族と違って、貧乏人はウサギのように繁殖することは許されていない」という記事があり、赤ん坊を抱いて笑っているキャサリン妃とウィリアム王子が見つめ合っている写真がついていた。記事の内容は、福祉給付の対象となる子どもの数が一家庭につき2人までと制限されていることについて、ある議員が、「生活保護受給者が好きなだけ子どもを産めないことは公平です。働いて自分で生計を立て、生活保護を申請しない人々は、子どもを何人つくるか決断しなければならないのですから」と発言したことに関するものだった。

この発言をガーディアン紙は批判していた。ちょっと待てよと。ウィリアム王子とキャサリン妃は3人子どもをつくっているが、じゃあ王族は自分で働いて生計を立てているのか？　王族だって王室助成金で食べているくせに彼らだけ野放図にがんがん繁殖するのが許されているのは不公平ではないか、と憤る記事だった。

こうしたロイヤルファミリーへの批判はまあ古典的とも言え、たとえば8年前、モリッシーというアーティストは「ロイヤルファミリーはベネフィット・スクラウンジャー（生活保護のたかり屋）」と言ったことがあるし、1980年代に大人気だった人形劇コメディ番組『スピッティング・イメージ』では、人頭税が払えなくなったロイヤルファミリーが宮殿から公営団地に引っ越すエピソードもあった。

で、こういう発言やコメディを好むのはだいたい左派や労働党支持者なんだけれども、なぜかと言えばロイヤルファミリーは保守党と仲がいいからだ。これは、英国の場合、「エスタブリッシュメント」と「ピープル（というのはもともと労働者階級の人たちの呼称だった）」がくっきりと分かれていて、貴族だの政財界の大物だのといった富裕層で構成されている前者は一般ピープルの子どもが行く公立校には子女を通わせない。だから、エスタブリッシュメント政党である保守党の議員には、王室の人たちと同じ私立校出身の同窓生とか、ご学友とかがけっこういて、たとえば元首相のデイヴィッド・キャメロンや元ロンドン市長のボリス・ジョンソンとウィリアム王子、ヘンリー王子はみんなイートン校出身だ。そしてああいう上流階級の人たちはまた下々の者にはよくわからない会員制のクラブとか縁故関係とかでみんな繫がっているから、保守党と王族はグルである、と庶民はだいたい思っている。

それだからなのだろうか、１９９７年から２０１０年まで労働党が政権を握っていた時代には、ダイアナ妃やクイーン・マザーといった王室の人気者が次々と亡くなって葬式づいていたのに、保守党が政権を握った途端、ウィリアム王子の挙式と３人の子どもたちの誕生、ヘンリー王子まで結婚して妻が妊娠と、晴れやかなおめでた続きだ。弔事は偶然とはいえ、いくらなんでも世論盛り上げへの貢献度があからさまに違いすぎるのではないだろうか。

ウィリアム王子とキャサリン妃、そしてヘンリー王子とメーガン妃の若手ロイヤルファミリー４人組は、「ファブ４」などというスーパーヒーロー映画の題名みたいな愛称で呼ばれていて、「ファブ」というのは「ファビュラス（素晴らしい）」の略語だが、「ファンタスティック４」にするとミスター・ファンタスティックやインヴィジブル・ウーマンのパラレルワールドになっちゃうので「ファビュラス」のほうにしたのだろう。

キャサリン妃と子どもたち、そしてメーガン妃はファッションリーダーとして英国経済の成長にも一役買っており、彼女たちが公務で着た服は瞬時にネットで完売、みたいな状況になっていて、ロイヤルファッション・ウォッチャーなる人々がインターネットにへばりついて買い漁っている。これらのウォッチャーは自分や自分の子どものために買っている人たちだけではなく、オークションサイトで値段を吊り上げ転売している商売人もけっこういる。

と書くと若いロイヤルカップルズは国民に大人気で、英国王室の未来は安泰。みたいに聞こえるが、実はそうでもない。エリザベス女王が亡くなったら、王室存続の是非を問う国民投票を行うべきだという意見がある。

国民投票といえば英国に住む我々にとって記憶に生々しい、いや、新しい。ＥＵ離脱投票だってあんなに国を二分して大騒ぎになったのに、王室廃止投票なんてやったらどんなことになっちゃうのかと心配になるが、２０１６年６月23日、ＥＵ離脱投票が行われた日にインディペンデント紙が「我々の次の国民投票は王室の未来に関するものにすべきだ」という記事をすでに掲載していた。

当時、巷で盛り上がっていたのは、ＥＵはもはや民主主義的な組織ではなく、英国民から主権を奪っているという議論だったが、ならば王室だってぜんぜん民主主義的なものではないし、EUから「テイク・バック・コントロール」するぐらいなら、まず王室から国民の主権を取り戻さないと辻褄が合わない、と主張する人々がいた。すると、王室支持者たちは「王室は政治的権力を持ってない」とか「単なるシンボル」と反論するのが常なのだが、それがけっこうそうでもないという報道が出てしまった。2013年に明るみに出た英国政府の書類によれば、少なくとも39の法案が王室の承認を経て成立していたそうで、エリザベス女王とチャールズ皇太子は、自分たちに影響する法案への拒否権を行使したこともあったという。こうなってくるともう、王室は政治的に無力説は嘘である。

エリザベス女王も年齢を重ねるごとに「やり手ババア」から「キュートなおばあちゃん」へとイメージを変え、土産物屋のマグカップやビスケットの缶で笑っているご当地キャラと化している。しかし、ここでうっかり忘れてはならないのは、くまモンには法案をブロックする力はないということなのである。

10月、EU残留派が
２度目の国民投票を求め大規模マーチ。
（写真：ZUMA Press ／アフロ）

2019

モナキー・イン・ザ・ＵＫ—Monarchy in the UK—その２

群像　２０１９年２月号

　ＥＵ離脱のゴタゴタですっかり忘れ去られているが、２０３０年までには英国王室は存続の危機を迎えているだろうと予測する歴史学者が話題になったことがある。ロンドン大学ロイヤル・ホロウェイ・カレッジのアナ・ホワイトロック博士は、エリザベス女王が退位したら、英国王室の存続の意義が問われることになると予想していた。

「これまでは女王がいたので、『選挙で選ばれたわけでもない家族にいったい我々は何を求めているのだろう？　王室は今日の英国の何を象徴しているのだろう？』といった問い、こうした核心的な疑問が抑制されてきました」と博士は英紙デイリー・エクスプレスに話していた。「王室とより強い絆を感じている高齢者の世代が亡くなっていなくなれば、王室の未来に対する疑問はより差し迫ったものになり、さらに批判的な声が表面化する可能性があります」とも。

　１９５３年に戴冠したエリザベス女王は、２００７年には英国最高齢の君主となり、92歳のいまも健在だ。このおかげで英国史上最長の66年間にわたる王位法定推定相続人になっているのがチャールズ皇太子だ。彼に王位が譲られるときが来れば、英国史上最高齢での戴冠になる（彼は70歳になったばかりだ）。どこもかしこも高齢化なのねーと言うこともできるが、チャールズ皇太子は不倫の関係にあったカミラ夫人と再婚したという、所謂（いわゆる）「汚点」を抱えている。そのため、エリザベス女王が高齢にもかかわらず王位に踏ん張っているのだという噂は絶えず囁（ささや）かれてきた。エリザベス女王は安定感のある漬物石のようなキャラだし、なんだかんだ言っても英国の人々とともに山も谷も越えてきた、みたいな根強い支持がある。

２０１８年5月に行われた世論調査会社 YouGov の調査によれば、英国王室の存在を支持する人は69％になっている。これを年齢別に見ると、18歳から24歳の層では57％、55歳以上では77％になっており、年齢を重ねるごとに数字が上がっていく結果が出ている。また、地域別に見ると、スコットランドでは支持率が低く、53％になった。

さらに２０１７年の調査では、モナキスト（王室を支持する人々）の49％が保守党支持者で、34％が労働党支持者だ。労働党支持者では、61％の人々が王室はいらないと答えている。

興味深いのは、好きな王室メンバー調査の結果（２０１８年5月実施）だ。モナキストを対象にした調査では、やはりエリザベス女王が92％の人々に支持されて1位だ。が、なぜか2位はウィリアム王子ではなく、87％の支持を獲得したヘンリー王子になっている。以下、3位ウィリアム王子、4位キャサリン妃と続き、チャールズ皇太子は8位だ。ヘンリー王子の妻、メーガン妃は7位になっている。

これがモナキストもそうでない人々も対象にした最新のYouGov調査（2018年5月から10月までの実施結果）になると、ヘンリー王子が1位に躍り出る。2位はエリザベス女王で3位がウィリアム王子、4位がキャサリン妃で、5位がフィリップ殿下、6位がメーガン妃、7位がチャールズ皇太子になっている。

2018年5月に結婚したばかりだから、挙式の効果もあってヘンリー王子の人気が高いという見方もできるが、彼を嫌いだと答えた人が7％しかいなかったというのだから、これはたいへんな人気と言っていい。ヘンリー王子と言えば、以前はお騒がせ系の王族で、頻繁にタブロイド紙の1面を飾ってきた人だ。アルコール依存やマリファナ吸引、ナチの扮装でパーティーに現れた姿や、ストリッパーを膝に乗せてパーティーで飲酒する場面などのスキャンダラスな写真を繰り返し撮影されて、「パーティー・プリンス」「ダーティ・ハリー（ハリーはヘンリーの愛称）」と呼ばれてきた王子である。

しかし、近年は心を入れ替えて慈善活動や公務に精を出し、特にメンタルヘルスの問題に関するチャリティーでは、幼い頃に母と死別し、王族としての生活に向き合えないまま精神的に混乱して20代の頃はブレイクダウン寸前になっていた、などという赤裸々な告白を行っている。いくらオープンな英国王室とは言え、ロイヤルファミリーのメンバーが自分のメンタルヘルスの問題を堂々と公表したのは前代未聞で大騒ぎになったが、こうしたざっくばらんな姿勢が英国ではウケているようだ。

離婚経験者で黒人の血を引く米国人女性であるばかりか、人気ドラマでセックスシーンも演じている女優と彼が結婚すると発表されたときも、「ヘンリー王子らしい」とあっさり受け入れられた。それまでの王子の遍歴があったからなのは間違いないが、英国の人々の（日本のことを想像するとよりいっそう際立つ）寛容さもある。

2018年5月の世論調査で、王族の結婚相手は英国籍でなくてもいいと答えた人は82%、離婚経験者でもいいと答えた人は81%だった。また、宗教が異なってもいいと答えた人は72%、ずっと年上でもいいが74%、人種が異なってもいいが76%、子持ちの相手でもいいも71%だ。ブレグジット以降、海外では「英国は右傾化している」と言われているが、この調査結果を見れば、王族が人種の違う相手や、キリスト教信者でない相手と結婚してもオッケーという寛容さもあることがわかる。ただ、一つだけそうでもない項目はゲイ・マリッジで、王族が同性婚してもいいと思っている人は約半数の49%に留まった。

こうした英国の人々の寛容さを試す型破りな生き方をしているのがヘンリー王子だが、そういう彼こそが最も愛されているというのも面白い。逆に、長男のウィリアム王子は、堅実に真面目に生きているが、なんか面白みがなくて飽きられている感はある。

よく思うのは、若い王族のキャラ設定というかイメージ戦略は実によくできているなということだ。しっかり者だがクソ真面目な長男と、やんちゃで陽気な次男。長男の妻はやはりコンサバなミドルクラスの良くできた良妻賢母で、次男は自分の意見をしっかり持った年上の離婚経験者と結婚。さっそく長男の優等生の妻と次男の気の強い妻がうまくいかなくなって、次男の妻が義姉を泣かせたとか、隣同士に住むのが嫌で次男夫婦がケンジントン宮殿を出るとか、まるで連続ドラマを見ているようだ。人々の彼らに対する心情は、「『けもなれ』のガッキーと菊地(きくち)凛子(りんこ)のキャラだったら、凛子ちゃんのほうがぐっとくる」みたいな感じに近い。このあからさまな連続ドラマ式マーケティングが、英国王室がサバイバルするために選んだ戦略なのである。面白いエピソードさえ続けばドラマは打ち切りにならないから。

しかも英国がEUを離脱すれば、EU圏外の国々との関係強化のために王室外交がこれまでになく重要になってくる。世界中の人たちが見ている連続ドラマの主人公たちが来てくれるとなればどこの国も大喜びだ。英国王室は安泰である。

しかし、その一方で、彼らには不安材料もある。まず、歴史的に王室とは仲の悪い労働党が、ブレグジットの迷走とメイ首相の支持率低下に乗じて政権奪還を狙っている。その党首、ジェレミー・コービンなどは自ら認める共和制主義者で、国歌「ゴッド・セイヴ・ザ・クイーン」を歌わずに物議を醸したこともある人だ。さらに、ヘンリー王子がウィンザー城で挙式したとき、ウィンザーの自治体幹部がホームレス一掃作戦として「路上生活者を街から追い出す」と発言したため、「貧者に冷酷」と批判された。また、次期国王のチャールズ皇太子への支持を年収別に調べた結果、年収1万4999ポンド（約212万円）以下の層でチャールズ皇太子を好きだと答えた人は17％しかいない。この層では、他の王族は好きだが彼だけ嫌いという人が27％もいるのだ。

ポスト・ブレグジットの英国もどうなるかわからないが、ポスト・エリザベス女王の英国も同じぐらい不透明と言われるのはこんな事情からだ。両方が同時期に重なるようなことにでもなれば、英国はもう、それこそアナキー・イン・ザ・UKの時代になるかもしれない。

『Brexit: The Uncivil War』に見るエビデンスと言葉の仁義なき戦い

群像　２０１９年３月号

わたしは１９９６年から英国に住んでいるが、その翌年に総選挙で労働党が圧勝し、ブレア政権が発足した。で、あれは総選挙の前日だったと思う。チャンネルは覚えていない（ＢＢＣじゃなかったと思う）が、ブレアをモデルにしたとしか思えない政治家のドラマが放映された。若くて見栄えがよく、天才的に演説がうまいこの政治家は国民に熱狂的に支持されて首相の座に登りつめるが、実情は権力とカネが欲しかっただけの薄っぺらな人物だった、ということを風刺たっぷりに描いたドラマだった。よくもまあこんなドラマを、総選挙前夜のゴールデンタイムに放映するものだと驚いた。

実際、英国の政界で何か大きな事件があるとすぐドラマになる。しかも、だんだんそれは、登場人物も実名で、ほぼ忠実に起きたことをドラマ化するようになった。想像していただきたい。安倍首相やその夫人や籠池夫妻が実名で出てくる『ザ・森友事件』というドラマが制作され、ＴＢＳとか日テレとかが夜9時から2時間枠で放送する状況を。英国のテレビ局はそういうことをふつうにやる。

で、今年の1月7日。また『Brexit: The Uncivil War』というドラマが放送されて大炎上した。ＥＵ離脱の是非を問う国民投票で、離脱派と残留派のＰＲキャンペーンを率いたリーダーたちの情報プロパガンダ戦の内幕を描いたドラマだ。

ＥＵ離脱投票はもう2年半以上も前のことだから、どちらかといえばドラマ化は遅かったのだが、ブレグジットの仕方（ＥＵ離脱できるのか、できないのかという初歩的問題も含む）をめぐって混乱をきわめる英国では、「そもそもいったいどうしてこんなことになってしまったのか」を解き明かした映像は非常にタイムリーで、「見るのがつら過ぎた」「きつくなって途中でテレビを消した」といった人たちが周囲にもいた。

当該ドラマの主人公は、離脱派キャンペーン「Vote Leave」の統括ディレクター、ドミニク・カミングスだ（前頭部が禿げ上がった特殊メイクでベネディクト・カンバーバッチが演じた）。彼は保守党の元党首や現環境相のアドバイザーを務めたこともある政治ストラテジストだ。が、いつもどうでもいいようなヨレヨレのシャツやセーターを着てオフィスに現れ、清掃用具などが入った狭い倉庫に一人で籠って仕事をしている変わり者だ。

他方、残留派キャンペーンの統括責任者は、キャメロン前首相の政務広報官、クレイグ・オリバーだった。こちらはスマートなスーツ姿の「いかにも」な政府関係者だ。キャンペーン本部にも整然とデスクが並び、ずらりとスタッフが座ってPCに向かい、世論リサーチに余念がない。

対する離脱派キャンペーンのディレクター、カミングスときたら、ふらっとパブに行っては見知らぬ人々と話をしている。「EUは好き？」「どこが嫌い？」「移民をどう思う？」「異文化が問題なの？　それとも統合？」「景気は？　統計の数字を信じる？」など、ビールを飲みながら雑談をして本部に戻ってきては、倉庫に閉じこもって考えている。「パブに行ってばかりでどうなってるんだ」と部下たちは不安になってきた。

ここで視聴者は、天才的スローガンと言われた離脱派キャンペーンの「TAKE BACK CONTROL（コントロールを取り戻せ）」が、最初は「TAKE CONTROL（コントロールせよ）」だったことを知るのである。パブでのフィールドワークを通し、カミングスは人々の多くが、自分の人生が自分ではコントロールできないもの（経済的な下向き感や、ブリュッセルのEU官僚、めまぐるしく変わる社会、コミュニティの喪失）に操られているような無力感を抱えていることに気づいた。だから「自分たちで人生の手綱を握る」という意味と、「英国が国の主権を握る」のダブルミーニングで「TAKE CONTROL」というスローガンを考え出したのだ。

しかし、カミングスはこれでは何かが足りない気がしていた。これだけでは人々のサイケにこびりつく最強のメッセージにはなりそうもない。

妻がちょうど妊娠中だったカミングスは、自宅で寝る前、父親になる心構えに関する本を読んでいた。そして、「妻と赤ん坊の特別な関係に嫉妬する夫がいる」とか、「生活の変化を制御（CONTROL）できない気分になり、もとの生活を取り戻したい（TAKE BACK）と思う」とかいうことが書かれた箇所を読んでいて、これだ！　とひらめくのだ。

「TAKE BACK CONTROL」。キャンペーン本部のホワイトボードにそう書きつけたカミングスは、もう勝ったことを知っている顔で笑っていた。自分では「俺はプログレッシヴな考えを持っているからこういうのは好きじゃない」と言いながらも、これからは下り坂の時代とか、親よりは子、子よりは孫とだんだん貧しくなるとまことしやかに囁かれている時代に、このスローガンは破壊力を持つということを知っていたのだ。単に「コントロールせよ」では利己的に聞こえるが、「BACK」を入れることで、自分から奪われたものを正当に取り戻すのだという正義感すら加味された。こうして北部の労働者から政財界のリバタリアンまで口にした、あのスローガンが誕生した。対する残留派キャンペーンのスローガンは「BRITAIN STRONGER IN EUROPE（英国は中にいたほうが強い）」。明らかに弱い。ベタにEUの話しかしておらず、人の人生を語っていない。A・R・ホックシールドが『壁の向こうの住人たち』で言ったところの「ディープ・ストーリー」を彼らはなめてかかっていた。

こうやって離脱派は言葉を練り、研ぎ澄ますことで「エモーション」に訴える戦略に出たが、残留派は「ファクト」で対抗するのが最良の方法と思っていた。残留派キャンペーンの統括者、オリバーは、市井の人々（離脱派、残留派、離脱に傾いてる派、残留に傾いてる派、アンビバレント派、投票にも行かない派）を集めて会議室で話し合わせ、まるで刑事が別室で取り調べの模様を見ているようにガラス越しにその様子を眺めている。パブで実際に人々と話し合ったカミングスとは対照的だ。

だが、市井の人々が離脱派キャンペーンが流している誤った数字や情報について喋り出したとき、ついに残留派キャンペーンのオリバーもガラスの向こう側から飛び出して市井の人々がいる会議室に入り、正しいデータを並べて滔々（とうとう）と人々の過ちを正そうとする。だが、それを疑う人と支持する人が口論を始め、オリバーの説明の語気まで強くなり、みんなが激しく喧嘩している状態になって、しまいには一人の女性が泣き出してしまう。それは、残留派でもない離脱派でもない、アンビバレント派の女性だった。「リスク？　リスクですって？　私には失う物なんてない。私はもう取るに足りない者のように扱われるのはうんざり」と彼女は泣き崩れる。

離脱派キャンペーンは大嘘もついたし、アグリゲイトＩＱやケンブリッジ・アナリティカを使って不正収集データを用いて勝った。国民投票のキャンペーン活動で合法に使える資金上限の枠を超えていたとして訴えられてもいる。右翼政党ＵＫＩＰやそのファラージ元党首に排外主義的な言説を広める「汚い仕事」をさせて、それがエスカレートしても止めなかったという人道上の罪もある。

その事実を踏まえたうえでも、カミングスが閉じこもっていた倉庫のドアにびっしり書かれていた夥しい数の言葉たちは衝撃的だ。ＥＵ離脱投票後、世界中の識者たちがいろんな言葉を使って結果を分析してきたが、それらの言葉はすでに全部あのドアに書かれていた。

そして膨大なデータを分析しそこから結論を導き出すように、パブで聞き込んだ膨大な数の言葉を書き出してそこから導き出したスローガン（つまり、言葉）が「TAKE BACK CONTROL」だったのだ。

残留派はデータやエビデンスを重んじるばかりに、スローガンが人の感情や想像力におよぼす力を軽視していた。むかしから、檄文というのはあっても、檄データなんてものはないのである。

現在の英国の混乱ぶりを見れば、ＥＵ離脱投票で主権を回復したのは、英国でも、英国の人々でもない。あの投票で真に覇権を回復したのは「言葉」だったのかもしれない。

Who Dunnit?　マルクスの墓を壊したやつは誰だ

群像　２０１９年４月号

　ロンドンのハイゲート墓地にあるカール・マルクスの墓がヴァンダライズされて世界中で報道された。これが大きな話題になったのは、１８８３年に建てられたオリジナルの墓に使われていた大理石の刻字部分が傷つけられたからだ。

　マルクスの墓は１９５６年に彼の頭部の彫刻を載せた記念碑として建て直されている。そのときに、オリジナルの墓石についていたこの刻字の部分を記念碑の前面に取り付けた。つまり、形は変わってもマルクスやその親族の名前、生年月日、没年月日を記した部分だけはオリジナルの墓の一部だった。それが損傷された（マルクスの名前のいくつかの文字が読めなくなっている）ことに歴史家やマルクス信奉者たちが怒りの声をあげたのだ。

　マルクスの墓には多くの観光客が訪れるので、すでに写真を撮ってツイッターなどに投稿した人々がいるが、これらの写真を見ると、マルクスの墓は1月末にはすでに傷つけられていたことがわかる。墓地の管理を行っているチャリティー団体「フレンズ・オブ・ハイゲート・セメタリー・トラスト」の代表は、「これはわざとカール・マルクスだけを狙ったもの。ランダムな行為ではない。マルクスの名前を懸命に消そうとしていたことが写真からわかる」とし、この破壊行為は「とりわけ自己中心的」と非難している。

「反マルクス主義者のしわざなら、記念碑を破壊するよりも、人々の意見を変えようとしたほうがよっぽど効果的。これでは反マルクス主義の理念に対する共感を勝ち取ることはできない」とも語っている。鈍器で何度も叩かれたような損傷部分は、ハンマーで攻撃されたと推測されている。ちなみに、鈍器の使い手は左利きである可能性が高いそうで、右側からではなく、左側から叩かれている形跡があるそうだ。

これを受け、左派紙（前文から右とか左とかややこしいが）ガーディアンは、誰がこのような蛮行をやらかしたのかという推測記事を掲載した。疑われているのはこれらの人々だ（以下、抄訳かつ意訳）。

1．強硬ＥＵ離脱派の人々

カール・マルクスのような外国人っぽい名前を持つ者が、過去１００年間も墓地の復元基金の世話になっているのは許せない、彼は英国人を埋葬すべき墓のスペースを取っている、という動機に基づいた犯行。

2．労働党のコービン党首のファン

資本主義に関する本を3巻も書いてからそれは悪いものだと気づいたマルクスは、気づくまでは資本主義を愛するブレア主義者だった可能性もあり、ならばコービン・ファンにとっては論敵だ。さらに、チェ・ゲバラ帽を被ったコービンの写真がついたTシャツを着てマルクスの墓に近づく者を、誰も怪しむ人はいないだろう。

3．#FBPE の団体

#FBPE（Follow Back Pro-EU の略語）というハッシュタグがEU残留派・親EU派の間で使われている。このクラスタの人々が、国民投票のやり直しに前向きでない労働党のコービン党首に痺れを切らし、彼の注意を引くためにやった可能性もある。さらに、彼らがマルクスの墓を破壊したことを意味するハッシュタグでも作れば、生涯のマルクス主義者であるコービンが放っておくわけがない。

4．「Turning Point の学生たち

米国の保守派学生たちによる右翼団体「Turning Point USA」の英国支部が出来ている。彼らを有名にしたスローガンは「社会主義、最低」。彼らが次に考案したス

ローガンは「大きな政府、最低」だが、二番煎じの感は否めない。ここらで大きなことを、と思った彼らの犯行だった可能性もある。

結論：内閣のしわざだった

いま、世間の目を自分たちから逸らすことが必要な集団が、EU離脱交渉の失敗と不手際続きで叩かれている英国の内閣以外に存在するだろうか。しかも、墓にちょっとだけ傷をつけて逃げるというような、とても成功とは呼べないチンケなことをするのは、英国の内閣しかあり得ない。

とまあ、このような推理もなされるほど話題になったマルクスの墓の一件だが、実は墓地でのヴァンダリズムというのは近年、一般的にも大きなイシューになっている。

昨年、英国BBCの長寿名物ドラマ『イーストエンダーズ』を見ていると、ティーンたちがユダヤ人の墓を破壊するエピソードが出て来たが、こうしたレイシズムがらみの墓荒らしは度々ニュースになってきた。ロンドン東部、北アイルランドのベルファストなど、各地でユダヤ人墓地を狙ったヴァンダリズムが起きており、昨年の夏にもマンチェスターのユダヤ人墓地で70あまりの墓石が倒されたり、打ち割られたり、

10万ポンドにのぼる被害を出した。こうした墓地でのヴァンダリズムはヘイト・クライムの一つと分類され、ノッティンガムやリンカンシャーではムスリム墓地を狙った破壊行為も発生している。

だから前述の記事でも、ＥＵ離脱や排外主義の視点から犯人の推測がなされているのだ。墓地での破壊活動といえば、学校の夏休み中などにやることがなくて退屈したティーンが集まってやることというイメージがあるが、暇とホルモンを持て余したティーンが墓地でビールでも飲みながら暴れているにしろ、或いはもう少し年齢のいった人たちがやっているにしろ、昨年のイングランドおよびウェールズのヘイト・クライムの件数は前年より17％上がっている。

ただし、今回の場合は人種やＥＵ離脱とは関係なく、単なるマルクス・ヘイターのしわざ臭い。実際、彼の墓はこれまで何度も狙われており、１９７０年代には爆弾を仕掛けられたこともあった。しかし、こうやって至極まじめにマルクスの墓の受難ばなしを書いていても、ついおかしみがこみあげてしまうのは、マルクスの墓（というか記念碑）はけっこう笑える代物だからだ。あのちょっとバランス的におかしい巨大過ぎるマルクスの頭がついた墓を見に行ったとき、当時、４歳だったうちの息子は「父ちゃんの部屋にいる人」と言った。あの頃、配偶者の部屋の壁には、斧で叩き壊したドアの隙間からジャック・ニコルソンが「Here's Johnny!」と言って覗いている『シャイニング』のポスターが貼ってあったのだ。

　このインパクトの強い墓の外見も功を奏してか、本人は嫌がるかもしれないが、マルクスの墓は資本主義的には成功をおさめている観光名所であり、地元経済に大きく貢献している。最も観光客が訪れる墓だからぶっ壊して資本主義に異議を申し立てようとした主義者の所業だったとすれば、案外、本人はあの世で喜んでいるかもしれない。

　ところで、ハイゲート墓地はロンドン市内でもかなりお勧めできる観光スポットの一つである。というのも、ここにはけっこうエキセントリックな文化人たちが眠っているからだ。カール・マルクスのほか、セックス・ピストルズのマネージャーだったマルコム・マクラレンや『銀河ヒッチハイク・ガイド』の著者ダグラス・アダムス、『ミドルマーチ』のジョージ・エリオット（女性名の本名、メアリー・アン・クロスの名も墓石に刻まれている）、『長距離走者の孤独』のアラン・シリトーの墓なんかもある。

　この顔ぶれを見れば、いまさら墓荒らしぐらいじゃ驚かないというか、逆に「アナキー」とか叫んで喜ぶ人も混ざっている気もするが、ブレグジット後の英国経済を支えるのは観光になるのではないかと囁かれている昨今、ハイゲート墓地の警備強化を求める声もある。マルクスの墓周辺にＣＣＴＶを設置する案も検討されているようだ

（２０１９年12月に実際に設置）。「監視資本主義」なんて言葉が流行する時代に、『資本論』を書いた人の墓も文字通り監視されることになるらしい。ビッグブラザーがマルクスの墓を見ている。

『負債論』と反緊縮

グレーバーが「経済サドマゾキズム」と呼んだもの

群像　２０１９年５月号

２０１８年に『そろそろ左派は〈経済〉を語ろう』という鼎談本が出た。これは、緊縮財政から脱そうとする欧米の左派たちの動きを伝え、日本にも反緊縮の経済を掲げる政治勢力が必要なのではないかということを経済学者の松尾匡さん、社会学者の北田暁大さん、そしてなぜか無識者のわたし、というメンツで語り合ったものだった。

で、その中でわたしが、アナキストと反緊縮運動について言及している箇所があるが、これを読んで両者の関係性は「こじつけ」であると思った日本の方がいたようで、「アナキズムと経済とは真逆の性質のもの」というメールをいただいた（「アナキズムは国家と経済を破壊する革命」とのことだった）。

が、例えばアナキストとして有名な『負債論』のデヴィッド・グレーバーは生粋の緊縮財政反対論者として有名であり、昨今なにかと話題の米国の女性議員、アレクサンドリア・オカシオ＝コルテスの影響で知られるようになったＭＭＴ（モダン・マネタリー・セオリー）に早くから着目していた人でもある。

グレーバーはアナキストであるが、世界の政財界の超エリートたちが学ぶＬＳＥ（ロンドン・スクール・オブ・エコノミクス）の教員でもあり、人類学者にしてはリアルな経済や財政問題に関する発言が多い。

例えば、２０１３年にガーディアン紙に寄稿した論考では、グレーバーは緊縮財政を「経済サドマゾキズム」と呼び、「緊縮の知的正当化はもはや何の値打ちもない」と書いている。グレーバーは、ハーバード大学のカーメン・ラインハートとケネス・ロゴフが主張した「政府債務が対国内総生産（ＧＤＰ）比で90％を超えると、経済成長率が劇的に減速する」という説は、その後、集計表の間違いに基づいていたという事実が明らかになっており、国の負債が増えると景気後退を招くという確固たる証拠は存在しないと説く。

この間違いは説を唱えた本人たちも認めているので、客観的に見ても緊縮の経済的効果は証明されていないことになる。ならば政策のＵターンが行われるべきだろうが、そうならないのはなぜか。その理由を、グレーバーは、

「緊縮は最初からエコノミック・ポリシーではなかったのであり、それはいつだってモラリティーに関するものだった」

と喝破する。とはいえ、これはグレーバーのオリジナルではない。多くの識者や政

治家たちが昔から指摘してきた。緊縮は道徳的理由から行われているのであり、「債務と返済」は、「犯罪と罰則」「罪と贖罪（しょくざい）」の概念にすり替えられているというのだ。

「有効性」ではなく「道徳性」に基づいた政策が支持される背景には、現代社会を生きる人間たちにコレクティヴな「罪」の意識があるのだろう。それはおそらく、租税回避や怠慢、生活保護の不正受給、不正選挙、指導者たちの無責任さなどに端を発しているのかもしれない。が、これがいつしか社会保障や人道的勤労待遇や年金や社会的・経済的デモクラシーを求めることに対する罪悪感にまで拡大されているとグレーバーは指摘する。

例えばドイツの有権者たちは、ギリシャやスペイン、アイルランドのような国の人々を「負債罪人」だと考えているので、彼らを罰する政策を行う政治家（ドイツのメルケル首相など）を支持する。グレーバーはこれを「財政サディズム」と呼ぶ。また、英国のミドルクラスの有権者たちは、国の財政は破綻寸前なのでいまは苦しくとも未来の世代のために緊縮を行うと語る候補者に投票する傾向がある。こちらはグレーバーに「財政マゾキズム」と呼ばれている。

しかし、この財政SMはおかしいんじゃないかと気づいていた人々は、以前からたくさんいたとグレーバーは言う。そしてそれは、ほかならぬ日本の例があったからだというのだ。

日本は、政府債務の対GDP比が世界でも非常に高い国だ。だが、日本はスペインやイタリアのような苦境に立たされていない。それどころか国債の買い手に事欠かず、10年国債の利回りは1％以内という低さだ。なぜだろう？　それは、デフォルトの危険がないからだ。いざとなれば日本の政府がカネを刷ることができるとみんな知っているからである（断っとくがこれはわたしが言っているわけではない。グレーバーが新聞にこう書いているのだ）。

しかし、ユーロ圏の国々は、自分たちの国で紙幣を刷ることができない。それができるのは欧州中央銀行（ECB）だけだ。よって投資家は例えばアイルランドのような国にデフォルトの危機を感じ取って国債の金利が上昇する。すると政府歳出のうち国債金利支払いの割合が増大し、予算はシュリンクし、財政支出削減が行われて、失業者が増え、不景気になって税収が減り、緊縮のスパイラルにはまっていくのだ。

グレーバーは、この論考が発表された２０１３年の時点ですでに脱緊縮経済のヒントになる考え方として、「お金はこう機能すべき」という「べき論」ではなく、「お金はこう機能する」という現実に基づいたMMTを評価している。例えば、当時大きく報道されていたアイルランド危機でも、MMT学派の経済学者たちは、デフォルトに陥った時にアイルランド国債をアイルランドの税金の支払いに使えるようにすればいいと提案していた。しかし、アイルランド政府は何だかんだと理由をつけてこれを退けた。

投資家も市民も救われるはずのハッピーな政策をなぜか否定したのだ。SMに慣れすぎると、人は「ウィン・ウィン」などということは世の中にはあり得ない、そんなのは詐欺だと思うようになって、もっと痛みを、もっとリアルな痛みを、とつらく血のにじむ道を選ぶようになるのかもしれない。このSMマインドにはまり込むと、人は自ら進んで不幸になり、ちょっと自分より不幸な人を見て愉悦を感じ、調子の良さそうな人を見るとなんとか足を引っ張って不幸にしたくなる。暗い世の中の到来だ。「不況」を意味する「Depression」は「鬱」を意味する言葉でもあることは真剣に議論されたほうがいい。

ところで、ここでグレーバーも知らなかったのは、日本でも実は国内では「国の借金、一人当たり800万円」と言って経済SMが行われてきたことだ。ある20代の編集者と話をしていたときに、「日本の財政破綻は洗脳だったのでしょうか。学校で、日本の借金に関する作文を書かされたりしていました」と聞かされ、わたしは「進め一億火の玉だ」にも似た何かを感じてゾッとしたのだが、財政赤字の額を国民一人当たりに換算し、学校で未成年に教えるという話は英国では聞いたことがない。

だいいち財政赤字は国民の借金ではないので間違ったことを大人が若者に教えてはいけない。

「一般常識として教育されてきたこと」に「それ違う」と言うことは、世間のほとんどの人からバカと笑われ、マッドと蔑まれることでもある。これは、ある種のアナキーな精神がなければできることではない。だからこそ、「罪と贖罪」というキリスト教圏のコアにある道徳観に反旗を翻したのはアナキスト学者だったのだ。

ところで、常識を疑うといえば、緊縮財政の被害者はイノセントな労働者たちです、という通説についてもグレーバーは異を唱えている。経済SMの時代を支えているのは実は労働者階級のマインドセットであるというのだ。そ、それはひょっとしてわたしのことですねと反省するぐらいこの指摘は説得力があるのだが、字数が尽きたのでそれは次回に。

文芸誌で財政だの国債だの何を書いているのかとお怒りの向きもあろうが、せっかくグレーバーを扱っているのだ。常識は疑っていこう。アナキー・イン・ザ・GZ（注：GUNZOUの略）。

グレーバーの考察

労働者階級の「思いやり」が緊縮マインドを育てる

群像　2019年6月号

「一丸となってバラバラに生きろ」というのはアナキズム研究者の栗原康さんの言葉だ。が、この一見すると広告代理店みたいなコピーの真の重みは、「一丸」と「バラバラ」の配分の難しさ、その両者の宿命的因果関係にある（とまで書いたのだから、これがまた長渕剛の歌詞から取ったフレーズとかだったりしたら個人的には許しがたい）。

そんなことをつくづく考えたのは、英紙ガーディアンが2014年3月に掲載したデヴィッド・グレーバーの論考を読んだときだった。「ケアをし過ぎる。それが労働者階級の呪いなのだ」というタイトルのこの記事は、「緊縮財政の被害者はイノセントな労働者たちである」という、労働党党首のジェレミー・コービンあたりがいつも国会で言っているようなことを泣きながら蹴とばすような勢いがある。

いまでこそフランスで黄色いベスト運動なんてのが出てきて、労働者からの緊縮財政への異議申し立てが行われている（ところで、あれはルペン派とか右翼が混ざってるからダメだとか言っている日本の文化人がおられるが、当たり前だろう。あれは「右対左」の従来の構図じゃない、「上対下」の新パターンだからこそ欧州のメディアがびっくりして大騒ぎになったのだ)。

しかし、黄色いベスト運動が出てくるまで、つまり、グレーバーが当該論考を書いた5年前などには、これだけ緊縮財政が欧州の労働者たちを苦しめてきたにもかかわらず、これといった大きな抗議運動が爆発するというようなことはなかった。「『僕に解せないのは、なぜ人々が街で暴動を起こしてないんだろうということだ』と、富と権力を持つ人々が言っているのを時々耳にする」とグレーバーも当該記事中に書いているとおりだ。

ブロークン・ブリテンの下層社会では、福祉削減や医療、教育分野でのサービスの劣化、公共図書館、託児所の閉鎖、フードバンクとホームレスの急増など、目も当てられない窮状が広がり餓死者まで出ていたというのに、その一方では破綻寸前だったはずの銀行の幹部が数百万ポンド(数億円)のボーナスをもらったなどと報道されていた。なのに、労働者たちは、銀行に火をつけるでも、国会議事堂に煉瓦(れんが)を投げつけるでもなく、黙って苦境に耐えてきた。ふつうなら政権の命取りになっていてもおかしくないのに、いったいどうなっているんだろうと富裕層のほうが不思議がっていたというのだ。

貧しい労働者階級の人々ほど痛めつけられる政策を、なぜ当の労働者たちがおとなしく受け入れ、ましてや支持までしてきたのだろうか？

それは、労働者たちは上の階級の人々に比べて「自己中心的ではない」からだとグレーバーは鋭く指摘している。労働者階級は、友人や家族、コミュニティを気にかけ、ケアする意識が高い（貧乏だから助け合わなければ生きていけないのでそうなるのは自然だ）。グレーバーによれば、これはユニバーサルに共通の事実だという。たとえば、フェミニストたちはずっと昔から、社会において不平等が存在する場所では、下側にいる者のほうが上の者のことを気にかけていて、上側の者は下の者のことをそこまで考えたりしないと主張してきた。つまり、女性は男性のことを考えて心配したりするが、男性は女性をそこまでケアしないというのだ。これは黒人と白人の関係、被雇用者と雇用主の関係、貧困層と富裕層の関係などにもスライドできる。

人間は、誰かのことを考え、知るようになると、同情するようになる。富と権力を持つ人々が下々の者のことを考えないのは、そうする必要がないからだ。つまり、人の顔色を窺って生きていく必要がない階級は、より無神経になる。多くの心理学の調査がこのことを裏付けしているとグレーバーは書いている。労働者階級の家庭の人々のほうが、富裕層や専門職の家庭の人々よりも他者の感情を正確に判断することに長けているというのだ。つまり、労働者階級の人々のほうが他人の感情に敏感で、正確に理解できるのである（そりゃ常に人の顔色を窺って生きているのだからその能力が研ぎ澄まされるのは当然だ）。

さらにグレーバーは、労働者階級の人々とは誰か、という基本的定義についても再考を促す。労働者といえば、炭鉱労働者や鉄鋼労働者などのマッチョなイメージが浮かびがちだが、実は労働者階級とは「ケアする階級」のことなのだと彼は言う。実際、マルクスやディケンズの時代だって、労働者階級の街の住人は、メイドや清掃人、靴磨き、料理人など、裕福な階級の人々に雇われて彼らをケアする仕事に就いていた労働者のほうが多かった。現代ではもっとそうだろう。介護士や看護師、保育士（わたしじゃないか！）など「ケアする仕事」は今日の労働者階級の中心であり、黄色いベスト運動でも「ケア労働者階級」の人々が前線にいたことが話題になっている。

他方、中上流階級の人々は、ケア労働をしない。彼らは自分（や自分の親や子ども）をケアする人々を雇うからだ。つまり「互いの面倒を見る」という人類のもっとも重要な仕事の大部分を担っているのは労働者階級だとグレーバーは言うのである。

だからこそ、ここには大きな危険も潜んでいる。むかし、まだ「社会の進歩」が信じられていた時代には、労働者階級は自分たちのコミュニティをケアし、自分たちの階級を抑圧する者があれば一丸となって闘った。

だが、労働者階級の政治理念やコミュニティが「時代遅れ」とされ、グローバル資本主義で散り散りになった労働者たちは、気にかける対象を失った。そして、実在しない抽象的なものをケアし始めたのだ。それが「我々の国家」であり、「未来の世代」である。

国家の財政破綻を防ぐために、未来の世代に借金を残さないために、一丸となって痛みに耐えましょう。という緊縮財政のレトリックほど、自己中心的でなく、他者を助けることを義とする労働者階級のメンタリティーにしっくりくるものがあるだろうか。「国の未来のために自己を犠牲にする」「各人がコストを払う」というスローガンに労働者階級ほどぐっと来てしまう。これはサッドだが説得力のある説だ。

「結果として、すべてがあべこべになってしまうのだ。何世代にもわたる政治的操作により、ついにソリダリティーの精神はドケチ精神へと姿を変えた。我々の優しさが、武器となって我々を襲ってきている」

とグレーバーは書く。そして、左派がもし労働者の味方であるとするならば、労働者階級の多くは本当はどういう仕事をしている人たちなのかという事実と、それらの仕事をしている人々の道徳観を再考して戦略を練る必要があるとグレーバーは説く。

これを日本に置き換えれば、例えば教育や福祉、医療に投資が必要だとなった途端に、日本の多くの人々が「でも財源はどこから持ってくるんだ」とすぐ経営者脳（閣僚脳）になってしまうのも、一介の労働者はつい雇用主の事情を考えてしまうからなのかもしれない。支配者はこちらのことを考える習性などまったく身に着けていないのに、下々の人間は妙な思いやりを発揮して、「お上には財源がなくて大変なんだからみんなで残酷な政策に耐えよう」と、しちゃいけない団結をしてしまうのである。

これを奴隷根性と大杉栄は呼んだが、しかしそれはグレーバーの言う「思いやりとソリダリティーの精神」と表裏一体のものだ。わがままになれ、だけでは緊縮マインドの岩盤は突き崩せないのはこのせいだ。それに、つい他人を思いやってしまうケア労働者の習性を否定すれば、世の中は地獄絵図のようになってしまう側面もある。

「一丸」と「バラバラ」の配分こそが難しいのである。バランスを取ろうと中間を目指して、わがままにもなれず、思いやりもないところに落ち着いてしまったら目も当てられないので、いま志向すべきはアクロバティックなバランシングだ。柔らかくてよく伸びる頭が求められている。

「UKミュージック」なるものの終焉

群像　2019年7月号

英国で1990年代後半からゼロ年代にかけて一世を風靡した女性コラムニストのジュリー・バーチルが、パンク・アイコンとして知られる「ジョーダン」ことジョーダン・ムーニーの自伝『Defying Gravity: Jordan's Story』（キャシー・アンズワースとの共著）の書評を書いている。

70年代のパンク時代のジョーダンの雄姿は、当時の写真や映像（デレク・ジャーマンの映画『ジュビリー』やジュリアン・テンプルの『ザ・グレイト・ロックンロール・スウィンドル』）で見ることができる。イースト・サセックス州シーフォードで生まれたジョーダンは、18歳でロンドンに出て、マルコム・マクラレンとヴィヴィアン・ウエストウッドの伝説のブティック「SEX」の「顔」的な店員になる。そしてパンクを体現するアイコンとして当時のシーンのセレブリティになった。

他方、ジュリー・バーチルは17歳で音楽雑誌「NME（New Musical Express）」のパンク専門ライター募集記事に応募、どえらい少女が現れたと編集部に惚れこまれ、学校を中退して入社。セックス・ピストルズの『ネヴァー・マインド・ザ・ボロックス』のかの有名なNME新譜レビューを書いたのは彼女だ。バーチルやジョーダンは「時代と寝た少女たち」である。「寝た」なんてポリコレ違反です！　なんてことはあの辺のパンク世代の女たちは言わない。むしろ「寝る」のが大好きだった。男でも（たまに女でも）、時代でも。

思えば、ヒッピーやモッズの女性たちと、パンクの女性たちはまるで違っていた。前者と後者のあいだで何かが起きたのである。バーチルの言葉を借りれば、ヒッピー・ガールズは「我慢して黙っていることが求められていた」し、「モッズ・ガールズもまあ似たようなものだった」。だが、パンクは違った。パンク・ガールズたちは、口汚くガンガン言いたいことを言えと奨励されていた。ジョーダンはその象徴のような存在だった。

だが、バーチル曰く「尋常でなく美しいティーンエイジャー」だったジョン・ライドンが登場すると、それまでのシーンは色褪せて見えた。彼は、ムーヴメントの仕掛け人である大人たちを喜ばすことを拒否したからだ。マネージャーのマルコム・マクラレンから「サブミッション」というSMに関するセクシュアルな曲を書けと言われて、それを「うっかり聞き間違えて」、「サブマリン・ミッション」の歌を書いて来るような食えないガキ、それがライドンだった。

ジャーナリズム界のパンク・プリンセスだったバーチルは、あの時代をこう回想する。「いま思えば若干、子どもっぽい――シド（注：シド・ヴィシャス）はジャネット・ストリート・ポーター（注：著名な雑誌編集者で当時メディアの最先端にいたお洒落セレブ）にタンポンを投げつけた。ジョーダンは彼女にマスタード味のトフィーをあげた――、だが、公平を期して言えば、私たちは単に子どもだった。（中略）これを読み、私はその一部だったことを嬉しく思った」。

加齢すればいろんなことがメロウに、前向きに思い出せるようになる。バーチルよ、ついにお前もか。と思わぬこともないが、確かにパンクの破天荒なエネルギーは「子ども力」という一言に尽きる。

そこへいくと現代の若者たちは大人だ。英国のポップミュージック業界では、パンク世代のDIYや、それも商売の一手法だと開き直ったインディーですら、時代遅れになった。ポップ業界は、たとえそれが表向きのイメージでも「大人に反抗する子ども」を販売することをやめた。今世紀に入ってからは、『ポップ・アイドル（注：『アメリカン・アイドル』の元祖）』『Xファクター』などのテレビ公開オーディション番組が主な英国のポップスター製造経路になった。そこには、大人に見つけてもらいたい、マニファクチュアリング素材になることを志望する子どもたちが集まる。子どもだけではない、いったんDIYとかインディーの道を志したんだけれども、やっぱ生計が立てられないので、プロの手で自分の音楽やイメージを作り直してもらえませんか、と哀願する若者、いや中年たちですら、「これが最後のチャンス」という悲壮な決意で応募する。

彼らは大人の言いつけに背かないし、大人をバカにしたりしない。大人が作った枠の中で最大限に自分を売ってもらおうとする。大人しいからじゃない。文字通り、大人なのである。ジョセフ・ヒースとアンドルー・ポターの『反逆の神話　カウンターカルチャーはいかにして消費文化になったか』の原題は『The Rebel Sell（反逆者は売れる）』だったが、いまや「The Rebel Don't Sell」だ。反逆者は売れない。体制を利用し、それを隠そうともせずにうまくやれる人がクールなのだ。

オーディション番組で、労働者階級のティーンがグライムを披露するのを見た審査員のおっさんが「Current!（新しい！）」と絶賛するのを見ていると、むかしからスター誕生の瞬間なんてこんなものだったのだろうとは思う。閉じた扉の向こうで行われていたか、公開番組で公衆の面前に晒されているかの違いがあるだけだ。

DIYやインディーのオワコン感をダメ押しするかのように、英国ではライブハウスも次々と潰れている。緊縮財政で疲弊している中北部でこの現象が著しい。無名時代のアークティック・モンキーズが出演していたシェフィールドのザ・ハーリー、ブレイクする前のジェイク・バグが出ていたノッティンガムのメイズ、ダービーでもカサビアンやスノウ・パトロールが出演していたヴィクトリア・インが経営難で閉店に追い込まれている。

ガーディアン紙によると、業界団体の「UK MUSIC」は過去10年間で英国のライブハウスの35%が閉鎖したと見積もっている。それに加えて、現在でもロンドンを除く英国の小規模ライブハウスの約3分の1が閉店の危機に瀕しているという。事業用固定資産税の大幅な引き上げ、若者たちに経済的余裕がなくなったこと、アルコール消費量の減少、店舗家賃の上昇など、理由は経済的なものだ。英国は地域ぐるみで地元のミュージシャンを支えてきた国だったが、「人々は音楽のためにお金を使いたくないようだ」と潰れたライブハウスの元オーナーが語っている。YouTubeを見ればタダで世界中の無名バンドからお気に入りが探せる時代になったからである。

ビートルズからデヴィッド・ボウイ、クイーン、オアシス、ファットボーイ・スリムに至るまで、UKミュージックは英国の貴重な輸出品の一つだった。だから政府はライブミュージックを守るための報告書を発表し、早急な対策が必要と呼びかけている。ライブハウス部門での事業用固定資産税の見直しを提案はしているが、新しい才能を育てるためにもっと音楽業界からの投資が必要だと言うばかりで、政府として投資するとは言ってない。口は出すがカネは出さないという緊縮のスピリットがここでも貫かれている。

ウェールズでライブハウスを守るキャンペーンを行っている運動家が「そのうち我々の街はプレタマンジェとグレッグズ（注：どちらもサンドウィッチとパンのファストフードチェーン）だらけになってしまう」と警告している。そう。ライブハウスの消滅もまた、個人商店が潰れてチェーン店ばかりになっていく英国のどこででも起きている現象の一部なのだ。

新自由主義（と、その最終形である緊縮主義）で政府が小さくなり、国がグローバル企業に支配を譲り渡せば、「そこでしか生まれないもの」を生んだ土着の構造は壊れる。「UKミュージック」という、その周囲にいろんな幻想や意味が巻きつけられたものも、英国という地域の特産品である以上、それを作り出した構造が消滅すればなくなってしまう。音楽だけが例外のわけがないのだ。

そんなの嫌だと駄々をこねてもしかたない。そういうことをするのは子どもだからだ。

大人はそんなことはしない。「サブミッション」の曲を書けと言われてサブマリンの歌を書いたりしない。誰よりも上手に服従（サブミッション）の歌を書く。それが大人のすることだ。いまはファッキン大人の時代なのである。

英国ワーキングクラス映画の巨匠が復活
ケン・ローチとシェーン・メドウズ

群像　２０１９年８月号

ケン・ローチの新作『Sorry We Missed You』（邦題『家族を想うとき』２０１９年12月日本公開）がカンヌ映画祭で上映されて話題を呼んだ。83歳になるケン・ローチは、70歳を超えたあたりから「これが最後の作品かも」と常に言われ続けてきた。本人も、前作『わたしは、ダニエル・ブレイク』を最後に映画界引退をほのめかす発言をしていた。

前作は、ケン・ローチの映画の代名詞にもなっている「キッチン・シンク」の真骨頂ともいえる作品であり、戦後もっとも厳しい緊縮財政のもとで締め付けられる英国の労働者を淡々と描いた「究極の反緊縮映画」とも呼ばれた。そしてこの作品がカンヌで最高賞のパルムドールを獲った直後、英国でＥＵ離脱をめぐる国民投票が行われ、離脱票が残留票を上回った。

この事態を受け、ケン・ローチは引退を撤回し、排外主義や人種差別に反対する移民を主人公にした映画をつくるのではないか、と言う人々もあった。が、新作

『Sorry We Missed You』は前作と同様に白人労働者階級の経済的ストラグルを描いたものだ。

主人公は一般的な労働者階級の家族で、イングランド北部のニューキャッスルに住む中年の両親と2人の子どもたちだ。父親は「ギグ・エコノミー」ど真ん中とも言える、委託配達ドライバーの仕事をしている。

もともと、「ギグ」という言葉は、「ポピュラー・ミュージック、またはジャズを演奏するミュージシャンやグループによるライブ・パフォーマンス」とオックスフォード辞書のサイト（en.oxforddictionaries.com）で定義されているように、日本語でいうところの「ライブ」ぐらいの意味で使われていた。それが近年は日常の人々の仕事を表現する言葉に変容している。英国の人々がみんなミュージシャンになったわけではない。仕事があるときはあるけど、ないときは全くない、客が入れば金になるけど、入らなければ報酬はゼロ、という、売れないミュージシャンのような待遇で労働者たちが働く時代がやってきたからである。

底辺ギグ・エコノミーのリアルな実態については、日本でも出版されたジェームズ・ブラッドワース著『アマゾンの倉庫で絶望し、ウーバーの車で発狂した』が赤裸々に暴いているが、『Sorry We Missed You』は、ギグ・エコノミーが平凡な家族の心情や行動をいかに変化させ、いかに仕事や経済に直接関係のない生活の部分まで変えてしまうかということを描いている。

彼が『ブレッド&ローズ』のような移民労働者を主人公にしたアンチ・ブレグジット映画をつくることを期待していた人々へのアンサーとして、ケン・ローチはこう言っている。

「大企業が覇権を争っている間は、物事はどんどん悪くなっていくだろう。彼らはどんな風に競っているのだろう？　最高のサービスと商品を少しでも安く提供することによってだ。どうやって価格を安くするんだろう？　賃金を削ってだ。組合は弱体化し、労働者は保護されない。つまり、労働者階級の力は弱くなり、水道の蛇口のように簡単にひねったり止めたりされる。これがシステムの中に組み込まれているんだ」

彼がブレグジットに代表される欧州の混乱の原因を、単なる排外主義の流行や人心の右傾化でなく、行き過ぎた新自由主義経済という下部構造に見ているのは明らかだ。

英ガーディアン紙の名物映画批評ライター、ピーター・ブラッドショーは、この作品は『わたしは、ダニエル・ブレイク』より優れていると評し、「僕は良心の呵責に襲われた。人々が直面しているリアルな問題がこの映画に描かれていると多くの人が思うだろう。――それはロンドンのバブルの中にいる人々だけが気にしている愚かで古くさいブレグジットではないのだ。監督自身もそのように感じているのだろうか？

わからない。ただ僕に言えるのは、ＥＵは労働者の権利の幼稚園のようなものであり、その外側では、人々はもっとシニカルで残酷な状況や、搾取や、経済的な孤立や、貧困を経験しているということだ」と書いている。

一方、映画『This Is England』（２００６）でケン・ローチの後継者ともてはやされたシェーン・メドウズ監督も久しぶりに作品を発表した。ザ・ストーン・ローゼズのドキュメンタリー映画『ザ・ストーン・ローゼズ　メイド・オブ・ストーン』とドラマ『This Is England '90』を発表後、彼もしばらく沈黙を守っていたが、『The Virtues』という4話完結のドラマで復活した。奇しくも、英国ワーキングクラス映画の新旧ツートップが同時期に作品を発表した形だ。

『The Virtues』も主人公は白人労働者階級の中年男性だ。『This Is England』シリーズでコンボ役を演じたスティーヴン・グレアムを主役に起用している。『This Is England』では、ファッション・スキンヘッドではなく、本気で極右思想に走り、黒人の友人を暴行するコンボを演じた彼が、今回は、黒人の元パートナーに最愛の息子を遠い異国の地に連れ去られるアルコール依存症の男性を演じている。

ケン・ローチが現在進行中の経済と労働の問題をテーマに選んだのと対照的に、シェーン・メドウズは新作で自分自身の過去に戻る。彼は9歳のときに10代の少年から性的に虐待された自分の経験をドラマ化した。

メドウズはそのときの記憶を40代になるまで失っていたという（性犯罪の被害者には多い症状で、解離性障害、解離性健忘と呼ばれる）。彼の場合は、セラピーを通じて性的虐待の経験の記憶が鮮明に蘇ったそうで、「それがわかったとき、俺はそれをやった人物を探し出すために、ある場所に行った。俺が見つけたかった男の行方を突き止めようとした。彼と対決するためにね。だが、もし対面して、会話中に彼がにやにやして俺を見たりしたら、たぶんテーブルを飛び越えて俺はそいつの顔に噛みつくだろうと知っていた」とインタビューで話している。

それで相手を探し出して対面する代わりに、自分の経験を映像化することに決めたという。

ドラマでは主人公は北アイルランドの出身で、子どもの頃にカトリック教会が運営する孤児院に預けられてそこで性的虐待を受けたことになっている。アイルランド全土でのカトリック教会の聖職者による性的虐待がスキャンダルに発展している時代にはタイムリーな設定と言えるが、孤児院内部や少年たちによるレイプの描写には生々しいものがあり、視聴者はどこまでがフィクションでどこまでがノンフィクションなのかわからないままに衝撃的な物語を目撃させられる。

幼少期の性的虐待についての告発の動きも、近年の #MeToo 運動と連動しているという分析もある。そうした意味では過去に遡っているように見えるメドウズも現在進行形の社会問題を掬っているとも言える。最初から取り上げる社会問題を設定し、綿密なリサーチを重ねて映画を撮るケン・ローチと対照的に、メドウズは自分の個人的経験を材料にしてストーリーを組み立てるのだが、それが図らずも社会の動きとシンクロしてしまうという作家性を持っている。

労働者階級映画を撮り続けてきた2人が、「労働」と「虐待」という、このジャンルの古典的テーマを扱ったのは「バック・トゥ・ベイシックス」な印象がある。今年、カンヌでは移民問題やグローバリズムを扱った複雑なプロットの作品が高く評価されたので、ケン・ローチの単調な「キッチン・シンク」は色褪せて見えたとの声も上がったが、「キッチン・シンク」という言葉の由来は1928年生まれのロンドンの画家、ジョン・ブラットビーの作風に遡る。彼は花や女性や風景画を描くのではなく、台所の流しやビール瓶、調理器具など日常に使用するものばかりを好んで描いた。その地味な作風が「労働者階級もの」というジャンルを指す名称になったことを思えば、「キッチン・シンク」は色褪せて見える時代に在ることこそ、その存在意義だと言える。

労働者階級への風当たりの強い時期に、このジャンルを担う監督たちが、社会の混乱の根源にあるものは経済的貧しさと搾取であることを描く作品で復活したのは、どう考えても偶然ではない。

多様性はリアルでトリッキーで、ちょっとハード

LGBT教育のもう一つの側面

群像　2019年9月号

『ぼくはイエローでホワイトで、ちょっとブルー』という本で、うちの息子が通っている中学校におけるLGBTQ教育について書いたら、それを読んだ人々から、「英国の学校はすごい。さすがに進んでいますね」みたいな感想をいただいた。が、わたしの息子が通っているのは、イングランド南東部ブライトンの郊外にある、生徒の90%以上が白人英国人の学校である。英国では、地域によって住民の人種や宗教の構成が違ったりするので、すべての英国の学校がうちの息子の中学校のようであるとは限らない。よって、ここでは拙著とは逆行するような事例も紹介したい。

たとえば、イングランド中部のバーミンガムは移民の多い地域として知られている。2011年の国勢調査では、白人が約62万2000人で、それ以外の人々が約45万1000人。とくにムスリム住民が多いことで知られており、全人口の21・8%がイスラム教徒だ（イングランドとウェールズの合算では4・8%）。

で、今年のはじめ、このバーミンガムにあるパークフィールド小学校で、学校でL

GBTを教えることに対する保護者たちの抗議運動が起こった。ホモフォビアをなくすための授業の一環として同性愛について教えたところ、数百名の保護者たちが子どもに授業をボイコットさせ、数週間にわたって抗議運動を繰り広げたのだ。

この学校では、「No Outsiders」という偏見や差別をなくすための授業を行っていたが、そのほとんどがムスリムである保護者たちから、授業廃止を求める嘆願書も出されていた。保護者たちは子どもを登校させない運動も始め、ある金曜日には4歳から11歳までの600名あまりの生徒たちが登校しなかったと英紙ガーディアンが伝えている。

この学校の教頭であるアンドリュー・モファットは、平等教育の分野での貢献を評価されて大英帝国勲章MBEをもらったことがあり、『Challenging Homophobia in Primary Schools（小学校におけるホモフォビアに挑む）』という著書もある。同校では、レセプションクラスから6年生までの生徒たちが「No Outsiders」授業を受け、『Mommy, Mama, and Me』や『King & King』といった同性カップルに関する本を読んだりしているそうだ。

モファット教頭は、以前にもバーミンガムの別の学校で同じような抗議を受け、退職している。そのときも、彼の教育方針に反対したのはムスリムの保護者たち、そしてキリスト教徒の保護者たちだったという。

この件で思い出すのは、サッチャー政権が「セクション28」と呼ばれる悪名高い法を作り、公的教育現場で同性愛について教えることを禁止したときのことだ。しかしあれは1988年の話であり、あの頃、サッチャーの「古き良き英国のクリスチャン的価値観を守らなければ」という理念を支持したキリスト教徒の保守派陣営は、長い年月を経て同性愛のコンセプトを受け入れ、いまや英国国教会の牧師たちでさえ「英国国教会に同性婚を」運動を立ち上げているような時代なのである。

だから保守派が重んずる「古き良き英国の価値観」からはアンチ同性愛の概念は取り除かれ、アンチ移民のほうだけが噴きあがったのがブレグジットだったのかと思いきや、対立していたはずのムスリムとクリスチャンが反LGBT教育では共闘しているのである。これなんかは、英国の地べたにおけるアイデンティティ政治の力学が、机上で考えられているよりずっと流動的になっていることを示す典型的な例だ。

旧い図式で言えば、ムスリムは白人社会でひたすら周縁化された犠牲者だったはずだが、いまでは「LGBTなんか子どもに教えてくれるな」と堂々と声をあげるまでになった。そして、テロ事件などでムスリムを脅威に感じていたはずのクリスチャンが、彼らと手を組んでアンチLGBT運動を繰り広げるのだ。現実社会におけるアイデンティティ政治の相関図は、誰と誰が敵対し、誰と誰は同じ陣営だとは常に言えない構図になっていて、なんかもう多様性戦国時代みたいな混沌の様相だ。

とはいえ、サッチャーの時代とは違い、いまどきの英国人にそんなに熱心なクリスチャンがいるのかというのは疑問が残る。２０１１年の国勢調査ではバーミンガムの住民の46・1％が自らをキリスト教徒と答えているが、ここには東欧やアフリカ系の人々も入っていると考えるのが自然だろう。

そうなってくると、ＬＧＢＴ教育に反対しているのはおもに英国人以外の人々ということになる。皮肉なことではあるが、「英国は何十年も前に後戻りしているようだ」と言われるような事象が、何十年前には英国にいなかった移民たちによって牽引されているというケースもある。こういう事実に、以前なら左派はへっぴり腰で、もによった。が、近年はガーディアン紙のような左派紙でもきっちりと正面から扱うようになっている。

パークフィールド小学校でＬＧＢＴ教育反対の声を最初に挙げたのは、10歳の娘を同校に通わせているファティマ・シャーというムスリム女性だった。

「私たちはホモフォビックな母親の集団じゃないんです。私たちはただ、これらの授業のいくつかは、適当ではないと感じます。議論されているテーマには大人向けのものもあって複雑だし、子どもたちは混乱すると思います。平等や権利について常に考えさせられるより、子どもたちは子どもでいることを許されるべきです」

彼女はそうガーディアン紙に話している。

とっさに思い出したのが、昨年、バーミンガムに引っ越して行った知人と再会したときのことだった。彼女はむかしわたしが勤めていた保育園に子どもを預けていたシングルマザーで、勤めていた会社にリストラされて生活が立ちゆかなくなり、バーミンガムにいる親族を頼って引っ越して行った。

「うちの子の学校の授業で『結婚』について話すとき、同性カップルを例にとって教えているのよ。男女のカップルのほうが圧倒的に多いのに、どうして子どもを混乱させるようなことをするの？ 最近、ポリティカル・コレクトネスがクレイジーになっている」

立ち話をしていたときに彼女がそう言ったので驚いた。ブライトンにいた頃は、それこそわたしたち保育士が同性カップルの本（『タンタンタンゴはパパふたり』など）を園で読むことに不満げだったわけでもないし、むしろリベラルな人という印象だったからだ。彼女は白人の英国人だが、バーミンガムで前述のムスリム女性のようなママ友たちと学校の送り迎えのときなどにこういうことを話していたとしても全然おかしくない。もともとそういうことを考えていたけどブライトンでは黙っていたのか、引っ越して行った先で考えが変わったのか、それはわからない。

今年5月には、バーミンガムの別の小学校でもムスリムの保護者たちが8週間にわたって校門前でLGBT教育に反対する抗議運動を繰り広げた。ここでは、LGBT

運動家とその子どもたちが学校関係者であるＬＧＢＴ当事者やその家族への連帯を示すため校門に激励メッセージやレインボウカラーのリボンを結びに来たところ、生卵を投げつけられるなどの騒動になり、警察が駆けつける一幕もあった。

「私たちの子ども。私たちの選択」

「子どもには子どもでいさせろ！　親の意見を聞け！」

校門前で抗議活動を行っているムスリムの保護者たちは、口々にそう叫んでいたという。

マイノリティの権利を守ることも重要だが、ムスリムやユダヤ教、キリスト教などの宗教が説く価値観も尊重されなければならないとバーミンガムの国会議員はガーディアン紙に話している。熱心に何らかの信仰を実践している人々は英国人ではない場合が多いので、これまたマイノリティの権利がからんだトリッキーな問題なのだ。

「みんな違ってみんないい」社会は、みんな違ってオッケーなだけに揉める。分断と多様性はセットなのである。

あっちを立てればこっちが立たない「ほなどないせえゆうね」な現実の中で、もはや多様性とは、ああだこうだと思考し論じておけば済む段階ではなく、とにかくなんとか折り合いをつけなければ物事が回らない、ハードな実践フェーズに入っている。

「数字音痴」の弊害
英メディアが常に予想を外す理由

群像　2019年10月号

　わたしの美容師はブライトンのゲイ街に住むスタイリッシュな兄ちゃんなのだが、前回のカットのとき、彼は暗い表情で憂国しながら言った。

「英国の首相と米国の大統領が世界で一番ひどいヘアスタイルのコンビになるなんて、絶対に許せない」

　そして、今回のカットでは（ボリス・ジョンソンが首相に就任した翌週に行った）真っ暗に沈みきった顔でこう言っていた。

「もう英国と米国が世界をリードする時代は完全に終わった。政策とかなんとかより、政治指導者の髪型を見ればわかる。センスのなさは、頭の悪さよりも救いようがない」

　苦々しい口調で愚痴りながらわたしの前髪を切っているので、頼むからまっすぐ切ってくれよと祈っていると、彼は急にハサミとコームを降ろして、鏡を見ながら言った。

「それにしても、どうしてメディアは、ほんの2ヵ月前までボリスは首相になんて絶対にならないと言ってたんだろうね。この国のメディアは例外なく予想を外す。いつからこんなことになっちゃったんだろう」

確かに、これはいま英国中の人々が感じていることだろう。ここ数年の有権者の投票傾向に関しては、大手メディアが言っていることの逆を予想していれば当たると言っても過言ではない。

そもそも、このことが派手に露呈したのは、2015年の労働党党首選だったと思う。メディアは絶対にジェレミー・コービンが党首になるわけがないと予想していた。「そんなわけないだろ。誰がそんな素っ頓狂なこと言ってんだ。はっはっはー。バーカ」みたいなアティテュードだった。

だから、あっさり彼が党首選で勝ったときには「泡沫候補が」とか「まさかの当選」とか特大の見出しで大騒ぎしたが、わたしの配偶者でさえ、党首選前にロンドンの病院に1日行っただけで、「なんかロンドンのムードが変わってた。バスの中で会った人も、看護師も、コービンの話をしていた。彼が党首になるんじゃないか」と言っていたのに、メディア人や識者たちはどこを見ていたのだろう。きっと彼らは市バスに乗ったり、NHS(国民保健サービス)の国立病院を利用したりしないのではないか。

次に人々をびっくりさせたのは、ブレグジットの是非を決める国民投票だった。メディアは離脱派の勝利などあり得ないと伝え続けたからだ。「離脱なんてあるわけないだろ。誰がそんな気の触れたことを言ってんだ。はっはっはー。どこまでバカなの」みたいなアティテュードだった。

だから、僅差とは言え離脱票が残留票を上回ったときには「まさかの結果」とか「世紀の番狂わせ」とか大騒ぎになったが、わたしのような地べたの生活者でさえ、残留派が庶民の心を摑めずにいることをYahoo!ニュースというサイトで日本の人たちに伝えていた（そして「バカ右翼」とか「変節した」とか連日ネットでボロクソに言われていた）のである。残留派が勝つと信じていたジャーナリストは、「予想」と「希望的観測」は違うということを忘れていたのではなかろうか。

その後、海の向こうでトランプ政権が誕生すると、これまたメディアは「まさかの結果」「どんでん返し」と上を下への大騒ぎになった。が、ブレグジットの結果を見れば、英国で起きることと米国で起きることはリンクするので、あり得ると予測してなかったほうがよっぽどおかしい。

トランプとコービンは、政治的スタンスは真逆だとしても、実はよく似た点がある。両者ともメディアから「あんな滑稽な候補者」というレッテルをキャンペーンのはじめに貼られていた。こういうジョーク扱いの候補者には大きなアドバンテージがある。本気にされてないので、本命視されている候補者のようにメディアに根掘り葉掘り詮索されずに済むのだ。

だから彼らは伸び伸びとキャンペーンを行うことができる。いつもメディアが張り付いているから一語一句に慎重を期し、大胆なことが言えなくなる上位候補者たちとは違って、良くも悪しくも物事を言い切り、キレのある選挙戦が展開できるのだ。つまり、メディアは「あの候補はジョーク。はっはっはー」と笑って野放しにしている間に、彼らに真価を発揮させるチャンスを与えているのだ。

コービンに関しては、メディアは2017年の解散総選挙でも同じ過ちを犯している。「労働党ジリ貧。与党保守党の大勝は間違いない」と余裕で報道し続けたのに、蓋を開けてみれば労働党が大健闘して、与党は過半数割れの体たらくだった。「コービンは役立たず」のレッテルを貼り続けては応援する結果になっている。

ニュー・ステイツマン誌に寄稿した論考の中で、ジャーナリストのヘレン・ルイスがメディアが予想を外し続ける理由をいくつかリスト化している。

その一番目に挙げられているのが「innumeracy（数字音痴）」という身も蓋もない言葉だ。

政治ジャーナリストたちのほとんどは、アーツ＆ヒューマニティーズ（芸術＆人文科学）の学部卒だから、経済政策に不慣れでよく理解できないことがあるというのだ。実質値がどうのとか、数字が並んだ報告書とかがおっくうになるのである。これは、行き過ぎた緊縮財政がＥＵ離脱の国民投票や２０１７年の総選挙に影響を与えるだろうという事実を多くの政治ジャーナリストが見落とした一因かもしれない。

ヘレン・ルイスは、政治ジャーナリストたちは「何票獲得すれば法案が通せるか」といった議会における票数計算も不得手ではないかと指摘する。こうした事情は、世論調査の数字の伝え方にも影響する。ほとんどの世論調査には3パーセントポイントの誤差があり、生の数字にはフィルターをかける必要がある（世論調査参加者が実際に投票する可能性など）が、目を引く数字がそのままニュースとして報道される。もし彼女が言う通り、数字に弱い、というか、あまり数字が好きではない政治ジャーナリストが多いとすれば、それが報道のあり方に影響しないはずはない。

また、彼女の指摘で面白いのは、優秀な政治ジャーナリストたちは理念の対立ではなく、人物の対立を描きたがるという点だ。これは例えば、ＥＵ離脱をめぐる国民投票のときにも見られた手法で、あのときは残留派vs.離脱派が、「デイヴィッド（・キャメロン元首相）vs.ボリス（・ジョンソン首相）」の対立に集約されていた。

「人々は衝突について読むのが好きだ。彼らは2つの議論の力学についてなど読みたがらない」

ヘレン・ルイスが取材した政治ジャーナリストはこう語ったという。

つまり、政治ジャーナリストは2つの陣営の見解を代表する政治家を作り、彼らの対立を通して現在の政治状況を描き出す。そのほうが人々にとって面白いし、記事が読まれるからだ。しかしこのやり方では、対立する陣営の中間にいる人々の意見は反映されない。興味深いことに、中道派の政治家たちは伝統的にあまりジャーナリストと話をしたがらないという。取材されたがるのは、極端な意見を持った議員たちだ。こうした政治家の話ばかり聞いていれば、地味で静かな中道派の存在は見えづらくなる。そして本当は、議員も、有権者も、「あいだ」の人たちがもっとも多いのだからここを取材しないと予想は外れる。何よりも致命的なメディアの「数字音痴」はこれなのかもしれない。

最後に、ジョンソン新首相の誕生についていろんな人に聞かれるのでここに書いておく。彼は総選挙で選ばれたわけではなく、約16万人の保守党員が投票する党首選で新党首に選ばれ、首相になった人だ。

つまり、たった約9万2000人の票が、人口約6600万人の国の首相にジョンソンを就かせたのである。これをもって英国もトランプのような首相を選んだと騒ぐ人々はしっかり数字を見たほうがいいし、そもそも野党第一党の労働党の党員数は保守党の3倍を超えていることを考えれば、「民主主義は数の論理」という例のアレも怪しいもので、議会制民主主義がまず「数字音痴」な制度だった。という暗いオチにハードランディングせざるを得ない。

『さらば青春の光』とEU離脱

群像　２０１９年11月号

『さらば青春の光』のデジタル・リマスター版が日本で公開されるそうで（２０１９年10月公開）、コメントを依頼されたので数十年ぶりで同作を見た。で、度肝を抜かれてしまったのは、いまだとポリコレ的にアウトな言葉が頻出したことだ。字幕は字数の関係もあるし、すべてが翻訳されているわけではない。しかし英語で聞いているとかなりヤバかった。人種差別的な言葉、フェミニズム的にまずい言葉がけっこう出て来る。

わたしは同作が大好きで、ブライトンに住んでいるのもこの映画と無関係だとは言い切れない。とはいうものの、ティーンの頃に初めてこの映画を見たとき、モッズ青年たちの「性的な厠」の役割しか与えられていない女子の描かれ方について、怒りとか覚えなかったんだろうかと当時のことを振り返ってみた。

わたしはたぶん、当時、自分を主人公の青年と重ねて見ていた。おそらく、この映画を青春期に見て感銘を受ける人は、性別を問わずみんなそうなんじゃないかと思う。まだ女性のロールモデルがあまりいなかった時代でもある。そのために「自立した女のおっさん化現象」が生まれたとも言われた時代もあったが、女性だから女性に自分を重ねなくちゃという鋳型に囚われた姿勢もいまならアウトな気がするし、現代は一周回って、女性が男性に自分を重ねるほうがジェンダーレスで第三の性的でヒップだよって話になれば、なんだ別にポリコレがどうとか言う必要ないじゃん、という迷路にまたはまり込む。

いずれにせよ、『さらば青春の光』は、90年代のブリットポップ時代にオアシスやブラーが絶賛してリバイバルさせ、大多数がリベラルな音楽業界界隈では「不朽の名作」扱いだ。それが実はたいそうポリコレ的にヤバい作品であったということは、「そういう時代だったのねー」では済まされないものを物語っているように思う。

個人的な話になるが、ここ数年、日本に帰って取材を受けると、何の話をしていても、最後には必ず「EU離脱はどうなってるんですか」と聞かれる。遠い国のことなのにどうして日本の人たちはこんなにEU離脱に興味を持っているのか。もしかしたら、自分たちの国のヤバみから目を逸らすために他国のしくじりに熱中しているのではないか、というたいへん穿(うが)った見解を酒場で語っていると、ある人が「そうじゃないよ」と言った。

「あのクールでリベラルで進歩的だった英国がどうしてこんなことになっているんだ、という衝撃から立ち直れない人が多いんだよ」と言う。

え。そうだったのだろうか。

『さらば青春の光』も、そのファッションや音楽、サブカル性によってクールでリベラルで進歩的と勘違いされてきた。が、実はこれは労働者階級の、大学には行かずに労働ピラミッドの末端の仕事についた若者たちの話であり、この層は政治的にそんなにプログレッシヴではない。若いときにモッズだった人がＥＵ離脱を支持していてもまったく不思議じゃないし、実際、何人も知っている。英国の労働者階級は、伝統的に労働党を支持してきたし、労働運動も行ってきた（いまはこの構図も壊れているが）が、別にみんなリベラルとか左翼とかいう理由でそうしたわけではない。ただ単純に、自分たちの階級の利益のために闘ってきたのである。

たぶん、日本の一部の人々は、英国の労働者階級に政治理念的な意味でロマンティックな夢を抱き過ぎていたのではないだろうか。

とはいえ、英国の労働者階級を見誤ってきたのは海外の人々だけではない。国内でも、労働者階級に関する大いなる勘違いの一つとして「コミュニティ」に対する考え方というのがいま浮上している。

『ザ・ピープル　イギリス労働者階級の盛衰』を書いた英国の歴史学者セリーナ・トッドは、同著の中でこう指摘した。第2次世界大戦後、ロンドンのスラムの調査に乗り出した社会学者たちは、労働者階級の街のコミュニティ・スピリット（共同体意識）を美化し、近隣住民に進んで手を貸す貧しい人々の姿をロマンティックに評価したが、当の労働者階級の人々の中には、もっとプライバシーがあるほうがいいと思っている人もいたし、近所の人の善意に頼りたくない人もいたと。

歴史学者のジョン・ローレンスの新刊『Me, Me, Me? The Search for Community in Post-war England』は、まさにこの部分に焦点を当て、戦後の労働者階級とコミュニティの関係をディープに探っている。彼は、英国の複数の大学の図書館で埃（ほこり）を被っていた聞き取り調査の記録に着目し、戦後社会を生きてきた人々の生の声を現代に復活させた。

ローレンスは、コミュニティを支えているのは、人間形成に必要な「苦労」だというのは単なる神話だと書いている。1982年に心理学者にインタビューされた無職のカップルは、家族を食べさせることが困難なとき、「気持ちがより偏狭になる」と答えたそうだ。それはそうだろう。家族を生存させるためにサバイバルしているとき、外側の世界をどうこうする余裕はない。

恵まれていない階級で生きるということは、経済的に困窮し、文化的に過小評価され、政治的に周縁化されるということだ。新自由主義的な政治は、延々とこの層を放棄してきた。

この数十年間にわたるネグレクトが、もともと労働党の支持が強かったイングランド北部や中部の労働者階級の街でＥＵ離脱派の票が上回るという事態を招いたのは間違いない。

ジョンソン首相はこの層の票を労働党から奪うことを狙っているが、保守系のシンクタンク「Onward」は、保守党にもっと「帰属のポリティクス」を強調するよう求めている。同シンクタンクは、「有権者たちは自主自律や選択肢や流動性を求めているわけではない。彼らは、自分や自分の家族や英国の企業を、モダン・ワールドから守って欲しいのだ」と分析する。

「帰属のポリティクス」とは、すなわちアイデンティティ・ポリティクスのことである。

北部・中部の労働者階級、すなわち、ここ数年「取り残された人々」と呼ばれてクローズアップされてきた層を、保守党界隈は一つの文化で繋がれたアイデンティティとして理解しているらしいのだ。社会の凄まじいスピードでの変化や、コミュニティの変容について行けないタイプの人々。密接なつながりを持っていた頃のコミュニティをノスタルジックに思い出し、労働者階級の価値観を重んじる人々。というのである。

いやしかし、労働者階級は文化的にそんなに取り残されているのだろうか。いまどき労働者の中高年だってスマホを使うし、SNSも使うし、キャッシュレス社会にも慣れている。

つまり、別に「モダン・ワールド」が問題なのではないのだ。古き良きコミュニティという村社会みたいなものだって、なくても生きられるのならなくていい。リッチな人々のようにベビーシッターを雇う財力があれば子どもだって預け合う必要はないし、夜中に具合が悪くなってもタクシーで病院に行けるんだったら隣人を叩き起こして車で送ってもらう必要はないのだ。

そうではなく、いま労働者階級が何より切実に求めているのは自立できる環境なのである。

だが、マテリアルな安定がないとそれは手に入れられない。だから彼らは怒っているのだ。

EU離脱は文化闘争などではない。重要なのは労働者階級の価値観ではなく、生活水準なのだ。こういう考え方はあまりロマンティックではないかもしれない。が、食えないところにまず必要なのはロマンではない。

『さらば青春の光』の主人公も、モッズ・カルチャーと「族」のコミュニティに失望し、最後はスクーターで断崖絶壁から海に飛び込む。

あのやけくそ感に満ちたエンディングは、どうしたっていま見るとEU離脱を髣髴（ほうふつ）とさせる。

だが、冒頭シーンでこちらに向かって歩いてくる青年の人影は、やはり主人公がラストシーンで死ななかったことをほのめかしているのだろう。

崖から飛び降りても死ぬことはないとして、リアルな本番はそこから始まるのであり、それはEU離脱も『さらば青春の光』の主人公も同じことだ。

ブレグジットと英国王室の危険な関係（ちょっとしょぼいけど）

群像　2019年12月号

1997年8月31日にダイアナ妃が亡くなったとき、わたしは配偶者とともに日本にいて、温泉に向かう車中でニュースを知った。などということはどうでもいいが、その1週間後に英国に戻って驚いたのは、びっくりするほど露骨な王室バッシングが始まっていたことだった。

あの頃、英国王室は人気がなかったとはいえ、ちょっとそれまで見たことがなかったような叩かれようで、「冷たい」とか「庶民の気持ちがわかってない」とか、メディアから近所の人々までみんなが噴きあがっていた。

そしていま、エリザベス女王率いる英国王室が、そのとき以来の危機に直面していると言われている。ジョンソン首相が、10月末のEU離脱期日直前まで1ヵ月英国議会を閉鎖するという無茶な策を取ろうとしたとき、閉会権限を持つ女王が許可を与えたからである。この閉会策は最高裁判所で「違法」と判断されて、許可を与えた女王の名に傷がつく形になった。

「女王に謝るべき」と声を荒らげたのは労働党のコービン党首だ。が、彼なんかは党首就任時、新党首として枢密院（女王の諮問機関）に招待されながら欠席してスコットランドにハイキングに行っていたことが発覚したりして、なんたる女王に対する侮辱であろうかと保守派からボコボコに叩かれたことがある。あのとき彼は、自らの王室廃止主義の思想を明らかにしていたはずなんだが、政治とはまあそういうものだろう。使えるものは何でも使えというわけだ。

そんな按配で、ブレグジットが袋小路に入り込んでいるいま、政治的に「使える存在」として浮上しているのが女王である。

だが、彼女は政治的なオピニオンを言うことはない。世論調査会社 YouGov での女王の支持率が72％というちょっと異様な数字をマークしているのも、彼女はまったく政治に関与する姿勢を見せないからで、「議会政治を超えたもの」として悠々と存在してきたからだ。ブレグジットで議会がゴタつき、有権者がそれにうんざりすればするほど、そんな下々の揉め事には左右されない女王のイメージが清らかに映った。

実際、これまで彼女はどのような局面でも政治を忌避することに成功してきた。サッチャー元首相は、「彼女はＳＤＰ（社会民主党。1981年から88年まで存在した社会民主主義政党）に投票しそうな人」と女王を評したことがあるし、ＥＵ離脱に関しても、離脱派の指導者のひとりだったランカスター公領大臣のゴーヴが、女王は個人的には離脱支持と言ったことがある。

しかしどれも政治家が言っていることであるから、庶民は「話半分」としか思わない。彼女が本当に考えていることは誰にもわからないのだ。だからこそ、トランプ大統領訪英時にオバマ元大統領に貰ったブローチを着けていたとか、議会開会の演説で被っていた帽子の配色がEUの旗に似ていたとか、女王のファッションには政治的メッセージが秘められているなどという噂だけが流れた。しかし、法的に女王には力はあまり無く、彼女は内閣の進言を受けて物事を行っているということは誰もが知っている。

ところが、ジョンソン首相が彼女をブレグジットの泥沼に引きずり込んだ。ツイッターでも、「女王にはがっかりした」とコメディアンのジェニー・エクレアがツイートすれば、労働党議員のケイト・オザモアは、女王はジョンソン首相から国を守ろうとしなかったと主張した。閉会を許可する権限があるのなら、「それは違法です」と退ける権限もあるだろうに、なぜそれを女王が行使しなかったのかと残留派の人々は激怒した。

ちょうどダイアナ妃が亡くなったときに「宮殿に引っ込んでいないで、出て来て悲しんでいる姿を見せろ」と人々に要求されたように、今度は「政権の言う通りにしていないで、首相の勝手な行動を阻止せよ」という女王への要求が高まっている。

女王を担ぎ出して議会を閉鎖し、合意なきＥＵ離脱を強行しようとしたジョンソン首相と同じように、残留派も女王を担ぎ出して彼を辞任させようとしているという報道も出た。元法務長官のドミニク・グリーヴが、女王には首相を辞めさせる権限があると発言したのである。

英国議会は10月31日のＥＵ離脱期限の再延期をＥＵ側に申し出ることを首相に義務づける法を成立させている（これも女王が許可した）。だが、首相はこれを「降伏法」と呼んで反発し、法に従って一応ＥＵに延期は申し出るが、ＥＵ側にそれを却下することも同時に申請する可能性をほのめかした。そうなってくると、残留派たちは、これは法を無視することになるので、女王に上奏して彼を解任させると言い出したのである。

実際、女王自らが、彼女が首相を解任できるのは法的にどういう場合なのか側近たちに相談していたという報道もあったりして、ことの真偽は置いといても、急に女王が政治のセンターステージに引きずり出されているのは間違いない。

議会政治が行き詰まり、デッドエンドの状況になってくると、王室制度には懐疑的だった左派までもが「女王が一番いい人」とか「女王がもっとも信頼できる」とか言い出して政治利用しようとする。が、これが非常に危険なのは、彼ら（や、彼らの地位を継ぐ可能性がある人たち）は常に安定感のある人々とは限らないということだ。

たとえば、英国の場合なら、チャールズ皇太子などはどこまでも慎重な母親と違って、政治的発言を躊躇（ちゅうちょ）しないおっちょこちょいなところがあるので、彼のような人が国王になると容易に政治利用されかねないし、彼の弟のアンドリュー王子は、米国で性的人身取引で起訴されて勾留中に急死した富豪、ジェフリー・エプスティーンとの関係が取り沙汰されている。

さらに、いまだけ利用するつもりでも、王室の政治関与は前例を作る。英国のような紙に書いた憲法を持たない国は、いろんなことを前例や慣習で決めるきらいがあるので、いたずらに前例を作ると後々エスカレートする危険性もある。「ブレグジットはまるで戦前の世界に戻るようで退行的」と残留派は主張するが、それを阻止するために王室に政治をやらせて中世に戻っていたらしょうがないのである。

このように、ブレグジットは、英国の議会政治のみならず、王室の役割を含めた根本的な国の在り方を揺さぶるような事態にまで発展している。

どうしてこんな大ごとになってしまったのか。と思うにつれ、選挙に勝ちたいばかりにＥＵ離脱の国民投票を実施すると決めたキャメロン元首相がへらへら笑っている顔を思い出してしまうが、そんな彼が久しぶりにメディアに出て来た。ＥＵ離脱が迷走する間、ずっと雲隠れしていた元首相が、突如としてＢＢＣのドキュメンタリーに出演したのである。

その番組中で、彼は、２０１４年のスコットランド独立住民投票の前、女王にスコットランドの人々に残留を呼びかけるよう依頼した事実を明かした。あのとき女王は、「人々が慎重に未来について考えることを希望します」と発言したのだったが、いまになって人々は、あの言葉の裏には政治的力学が働いていたことを知ったのである。

「スコットランド独立に介入できるなら、ブレグジットにも介入できるだろう」と人々が女王に期待を寄せるのも無理はない。女王はこんなときにキャメロンがいらんことを言いやがったと立腹しているそうだが、彼がいまさらテレビに出たりしている理由を知れば、その怒りは尚更だろう。

雲隠れしていた元首相が再びメディアに露出しているのは、新刊の彼の自伝のプロモのためだからだ。

政治に利用されるのも迷惑だろうが、本のプロモに利用される女王には一種のサッドさがある。

また、そこまでやってもアマゾンＵＫのランキングでは、キャメロンの自伝本が、ワム！のアンドリュー・リッジリーの自伝本に勝てないところがまた英国らしい味わいがあって、エリザベスの立つ瀬もなかろうと思う秋の夕暮れである。

後戻りができないほどの後退

群像　２０２０年１月号

　ほのぼのと暖かくてやさしい、絶望的に間違っている本を読んだ。それは大人のための本ではない。保育園や、家庭や、小学校のレセプションクラスで使われることを念頭に作られた絵本である。

『It's a No-Money Day（今日はお金がない日）』がその本のタイトルだ。表紙には床に座ったボブの髪型の母親が、同じ髪型の小さな娘を抱いているイラストが描かれている。不快な要素や、奇をてらった感じのまったくない、ふんわりと優しいタッチの表紙だ。が、これはどん底の貧困を描いた絵本である。しかも、それはビクトリア朝時代や終戦直後の話ではない。「英国のいま」を切り取った話なのだ。

　表紙を開くと、見開きには棚に並べられた食品や日用雑貨のイラストが描かれている。一般家庭の棚にしては大き過ぎるから、雑貨屋の棚だと思う人もいるかもしれない。だが、見たことのある人にはすぐわかる。これは、フードバンクの棚だ。缶詰や瓶に入った食料、シリアルやポーリッジの箱、シャンプーなどが並んだこの棚は、今日、明日の食費にもこと欠く状況に陥った人々が食料の配給を受ける場所にある。

絵本のストーリーのはじまりは、ベッドに、母子が並んで横になっているシーンだ。「ママ、起きて。お腹が空いた」という文章が絵の脇に書かれている。優し気に微笑みながら薄目を開けているママと、右手でブランケットを摑み、左手の指で母親の顔に触れようとしているかわいらしい娘。どこから見ても完璧な絵本の一ページだ。

だが、次のページには、母親と幼い娘がキッチンの棚の中を見つめ、空のシリアルの箱とパンが1枚しか残っていないことを確かめるシーンが描かれている。

続くページでは、空のシリアルの箱を頭から被って楽しそうに遊んでいる子どもと、テーブルについて紅茶かコーヒーを飲んでいる母親の絵。首からIDカードを下げた母親はポロシャツにズボンをはいている。おそらくこの母親は、保育士か、介護士か、或いはどこかの店員なのかもしれない。いずれにしても最低賃金に近い職場での勤務を思わせる出勤前の服装だ。

その絵の横にはこういう文章が書かれている。

「もうシリアルが残っていない。だからわたしは最後の1枚のトーストを食べた。ラッキーなことに、ママはお腹が空いていなかった」

その朝、母親は出勤前に何も口にすることができなかった。彼女が口にしたのは、幼い娘に最後のパンの1枚を食べさせるためについた嘘だけ。これは極貧のシングルマザーと子どもの話だ。母子と部屋の中を描いた絵が愛らしければ愛らしいほど、母子の会話が思いやりに満ちていればいるほど、そこに描かれた事象とのギャップが際立つ。極貧で家に食べ物が何もなくなった母子は、ついにフードバンクを訪れる。

『It's a No-Money Day』は、英国で初めてフードバンクをテーマにした絵本だと言われている。とうとうフードバンクは、新聞やネットのニュースの見出しを飾るものから、保育園や小学校や家庭で子どもに読み聞かせ、教えるものになった。何かが臨界点に達して、あってはならない水蒸気爆発が——不気味なことに破裂音ひとつ立てずに——、英国社会に起き始めた。


わたしは1996年から英国に住んでいるが、1997年に政権を取ったトニー・ブレア率いる労働党政権には、子どもの貧困は社会の「悪」であり、撲滅すべきものであるという認識があった。だから、実際に、彼らは子どもの貧困をなくすことを政策の柱とし、包括的な貧困撲滅の政策を打ち出した。が、2010年に政権を奪い返した保守党が緊縮財政に舵(かじ)を切り、福祉、教育、医療などへの財政支出を大幅に削った結果、子どもの貧困が凄まじい勢いで増加した。

現在、英国では400万人を超える子どもが貧困の状態にあると言われている。これは、一クラス30人のうち、9人の子どもが貧困家庭で育っているということだ。10年前の時点で、チャリティー団体のトラッセル・トラストは英国全土で57ヵ所のフードバンクを運営し、年間1万4000のフード・パーセル（最低3日分の食料の詰め合わせ）を子どもたちに提供していた。しかし、昨年の段階でフードバンクの数は428ヵ所になり、年間約58万のフード・パーセルを子どもたちに配布するようになった。

大手スーパーマーケット・チェーンのセインズベリーズでは、昨年の末から、フードバンクに寄付するのに適した商品にポップをつけていて、それを買った人々がそのまま地元の慈善団体に寄付できるよう、寄付コーナーが店内に設けてある。おそろしいことに、もはやフードバンクの存在は、日常の買い物にも当然のように組み込まれているのだ。こうしていまや、「食べられないほどの貧困」は、親が子どもを膝に載せて絵本を読みながら教える事柄になった。

いいことではないか、人助けをすることの何に文句があるんだ、と思う人々もいるだろう。

だが、勤め先だった無料託児所をフードバンクにされてしまった経験を持つわたしには、この状態が「まとも」であるとはとても思えない。

こんな風に愛らしい絵本やスーパーマーケットのカラフルなポップでフードバンク

が日常化され、社会の一部として明るく受け入れられてしまえば、フードバンクの存在に対する違和感や怒りも風化する。

むかしは、フードバンクはホームレスや無職でお金を使い果たした人々が利用する場所だった。それが、現代では絵本に出てくる母親のように、多くのワーキング・プアが利用する場所になった。働いていても三度の食事が満足に食べられない社会。それを「まとも」なことととして受け入れ、ほのぼの絵本にして子どもたちにまで教えてしまったら、「ゆりかごから墓場まで」と呼ばれたことのある国はもう後戻りのできないところまで後退してしまう。

ケン・ローチ監督の『わたしは、ダニエル・ブレイク』にも、体を悪くして働けなくなった高齢の失業者と、貧困で売春にまで追い込まれたシングルマザーがフードバンクを訪れる場面があった。何日もまともに食事していなかった母親は、フードバンクで棚にあった缶詰をわしづかみにして、我を失ったようにその場で貪り始めてしまう。

本当の貧困は、本当に食べられないということは、あのシーンだ。「お母さんはお腹が空いてないから。あなたが食べなさい」と最後のパンの1枚を子どもに食べさせる母親の裏には、ひとかけらの尊厳すら人間から奪い去るような、あの凄惨なシーンがある。

同作が日本で公開されたとき、配給元を中心とする関係者たちが貧困者支援団体を助成するための「ダニエル・ブレイク基金」を立ち上げ、劇場公開鑑賞料の一部が寄付された。これを受け、ケン・ローチ監督は、「ひとつだけ付け加えたいのは、ともかくチャリティーは一時的であるべきだということ。ともすると、チャリティーというものは不公正を隠してしまいがちだが、むしろ不公正の是正こそが最終目的であることを忘れてはならない」という声明を発表した。

つまり、フードバンクや慈善事業は、貧困者を一時的に助けるための緊急措置として存在すべきなのであり、自分が映画を撮り続ける目的は、人助けを推奨するためではなく、貧困を生み出す政治や制度そのものを変えることなのだと強調したのである。

12月12日、英国では総選挙が行われる。

ブレグジットの是非を再び国民に問う選挙とも報道されている。

だが、過去3年半、ブレグジット、ブレグジットと大騒ぎしてそれ以外のことに手を付けなかった政治の裏で進行してきたことに、子どもたちが絵本で人の尊厳を根底から破壊する場所について教えられるようにまでなった社会の歪みに、人々はもううんざりしている。

この選挙は残留派vs.離脱派じゃない。ジョンソン首相vs.コービン労働党党首でもない。

人々の尊厳と生活を取り戻すための選挙だ。

だから何でも起こり得るとわたしは思っている。

新型コロナウイルス感染症が
英国でも大流行。
（写真：ロイター／アフロ）

2020

闇落ちしなかったジョーカー

『ポバティー・サファリ』のロキについて

群像　2020年2月号

2019年に大きな話題になった映画と言えば、『ジョーカー』は外せない。英国でも多くのレビューが出ているのは当然のことで、「たいしたことない」系から「ブレグジットやトランプ現象の裏側を描き出している」というものまで、様々だ。これも世界共通だろう。いまやネットでどの国の映画レビューだって読める。英語ならだいたい誰だって読めるし、ドイツ語とか韓国語とかだって、グーグル翻訳で英語にすれば70％は正しい意味で出てくる（日本語にしたときより、英語にしたときのほうが正しさのパーセンテージは上がる気がするし、読みやすさのパーセンテージとなるともう間違いなく格段に上がる）。で、だいたいそういうのをチェックしてからみんなレビュー書きに取り掛かるとすれば、そりゃどの言語でも似たり寄ったりになる。映画レビューのスターバックス化。そんなことを感じる昨今である。

で、レビューばかり読んでいてもしょうがないので、ついにわたしも見てきた。うわ、すご。と思ったのはやっぱりホアキン・フェニックスだった。仲代達矢（なかだいたつや）とか役所（やくしょ）

広司とか、なんかそういう感じだった。「無名塾」という名が浮かぶ。ホアキンがあの、これでどうだ、うりゃああ！　みたいなストロングな眼光で、歌舞伎の見得とスレスレの線で「キメる名演」をしなければ（背中で見得を切れるのは世界中で彼だけだ）、時事ネタを盛り込んだあざとい映画。で終わったかもしれないが、実はこの作品を見たあとで考えたのは、映画のことではなく、本のことだった。

陰惨な生い立ちと苦境と恥辱にまみれた日常の末に、それでもダークサイドに落ちなかったジョーカーの話を、昨年、読んだ気がしたからである。スコットランドのラッパー、ロキことダレン・マクガーヴェイが書いた『ポバティー・サファリ』だ。

これ、実は日本語版にわたしが序文を書かせてもらっていて、英国でベストセラーになった本なので、バカの一つ覚えで「地べた」「地べた」言ってる無学なライターが序文を書いているのだからくだらない本に違いない、などと決めつけず、読んでいただきたい。ロキは闇落ちしなかったジョーカーである。とわたしは思うのだ。

スコットランドの荒廃した貧困地域で育ったロキは、ご多分に漏れずハードな幼少期を送った。酒とドラッグで身を持ち崩し、36歳で亡くなった母親は、ジョーカーの母親さえ聖母に見えるような育児放棄と虐待の人だった。ロキは5歳のときに酔った母親からナイフを持って追い回され、殺されかけている。正体不明の酔っぱらい男が泣きわめく赤ん坊を床で蹴りまわしていたり、子どもの前でセックスする母親を見てもたいしたこととは思わなかったという。そういうものだと思って育ったからだ。どん底の貧困、学校でのいじめ、家での虐待。貧困と社会的搾取が進んだ地域の暮らしには「虐待の文化」があると彼は書く。男が女を殴り、親が子を殴り、体の大きい子どもが小さい子どもを殴る。または性的に蹂躙する。そういう文化が、希望のない場所には蔓延るというのだ。

　これは外から入って来た人々には言えないことだ。外側から支援や調査の目的で来た（多くの場合は左派の）人々は、貧困地域に「虐待の文化」があるなどというのは差別だと主張する。

　むかし、底辺託児所で働いていた頃（そこは福祉が介入している家族が多く利用していた貧困区の無料託児所だった）、託児所責任者がこんなことを言ったのを思い出す。

「貧困と暴力には関係がないと言う人は、無知か、または政治イデオロギーが強い人です。そういう人たちがこの託児所に働きに来ると、すぐ絶望してやめていく」

　ロキの「かわいそうなアンダークラス当事者の生い立ち」を聞くのが大好きな左派の人たち（政治家や慈善団体や運動家）は、彼がいったん政治について自分の意見を語り出すと眉をひそめた。ロキは「知的に喋れる底辺層の人間」というレアな資質を買われてBBCラジオ・スコットランドで「ネッズ」（「チャヴ」のスコットランド版である「ネッド」から）というラジオ番組の司会者になるが、番組の関係者が聞きたいのは、彼の貧困当事者としての悲惨な体験談や、同じ境遇にある者たちを代弁する怒りか悲しみだけだった。ひとたび彼が「だから政治は本当はこうすべきじゃないのか」とか「貧困支援者たちのやり方はおかしいんじゃないか」とか言い出すと、彼らはラジオのマイクのスイッチを切り、スタジオの電気を落とした。

いつも笑っていなければいけないピエロのように、ロキは常に「どこに怒りを向ければいいのかわからないけど怒っている、哀れなアンダークラス当事者」でなくてはならず、それ以外の者になってはならなかった。自分の政治的意見を持って、左派の人々がムッとするような鋭いことなどけっして言ってはならなかったのだ。自分たちの政治的主張の裏付けにできるようなアンダークラス当事者の苦労話だけが彼らの聞きたいことだったからだ。

そんな状況のなかで、ロキは酒やドラッグに手を出すようになった。彼も若くして死んだ母親の後を追っているようだった。地元でちょっとした名声を手にし、ラッパーとしてフォロワーも獲得していた彼は、傍目（はため）には成功をおさめていたが、その実、メンタル的に壊れかけてもいた。この頃のロキなら、赤く燃えるストリートで暴動を始めた支持者たちに囲まれて車の上で踊っていたジョーカーのように、不満を抱えた人々の闇落ちヒーローになれただろう。

だが、ロキは踏みとどまった。そこで彼を踏みとどまらせたものは何だったのか。

この問題は大きい。

2018年のオーウェル賞を受賞した『ポバティー・サファリ』を読み直して思ったのは、この人は理論的な思考をする人だということであり、そのツールとなる言葉を持っているということだ。対して『ジョーカー』の主人公は、監督とホアキンが明かしているように体に音楽を宿したキャラとして構築され、情動をダンスで表現する人として描かれている。

ロキは言葉を使って、自分を苦しめているものの正体を突き止めるために思考し、文章を書く。そしてその正体は彼自身が若い頃から信じてきた左派の理念――貧困は政治・社会システムの欠陥のせいであるという考え――ではないかと思い至る。

左派は、貧困は体制のせいであり、当事者には責任はないと言う。しかし、まったく当事者の責任や主体性が関与していないことになれば、貧困者はいつまでも「新自由主義の犠牲者」であり、救われることはない。だから絶望して自分は飲むんじゃないかとロキは考えるのだ。何をやっても結局は無駄であり駄目なんだというアンダークラスの呪いの思考法は、貧困者は擁護すべき無力な弱者と決めつける左派のイデオロギーに由来しているのではないかと。

貧困当事者にも、主体性と責任の概念があって然るべきだとロキは考えるようになる。左派はあまりに長い間、「責任」の概念を右派に譲り渡し、それを彼らの都合のいいように使わせてきた。ロキに言わせれば、問題はそこにあるのだった。

自己責任じゃねえよ、自主自律だよ（おお、アナキズムみたいじゃないか。労働者も解放されたければ自分たちで勉強してしっかりがんばれよ、と言ったのは伊藤野枝(いとうのえ)だったか）。

だから左派は、自主自律の精神を捉えなおしてラディカルに再生せよ。

ロキは車の上で踊る代わりに、言葉でそう訴えるようになった。そう考えると、闇落ちしないためには、言葉というものが重要な役割を果たすのではないか。

「初めに言(ことば)があった」というヨハネによる福音書の冒頭の一文すら思い出す。

しかし、この一文、「言葉」ではなく、「言(ことば)」になっているところがまたディープなところであり、闇落ちと「言(ことば)」の関係をさらに考えさせられたのが、坂上香(さかがみかおり)監督の『プリズン・サークル』だったが、もう字数が尽きてしまったのでそれについては次回考察したい。

「言（ことば）」とレゲイン
『プリズン・サークル』が照らす闇

群像　２０２０年３月号

わたしは英国在住だが、宣伝コメントを依頼されたりすると、日本の新作映画を見ることがある。が、正直、見たからといってすべての作品の宣伝用コメントを書くわけではない。しかし、昨年の末に依頼された日本の映画だけは、見た直後にコメントを書き送った。それは坂上香監督の『プリズン・サークル』という映画だ。

同作は、島根（しまね）あさひ社会復帰促進センターという官民協働の刑務所の中にカメラを持ち込み、そこで行われている（日本で唯一導入しているという）ＴＣプログラムを撮影したドキュメンタリーだ。

ＴＣとはセラピューティック・コミュニティの略で、長期的な精神疾患や人格障害、ドラッグやアルコールへの依存症などを抱えた人々が共同体として回復していくことを目指したもので、グループ精神療法や参加型のアクティヴィティーなどを含む。英国の精神科病院で始まり、１９６０年代以降、米国や欧州各地に広がって行った。

よく、映画やドラマを見ていると、ＡＡ（アルコホーリクス・アノニマス）の集まりやドラッグ依存症回復者の自助グループの会合などで、当事者たちが輪になって椅子に座り、それぞれの経験や現在の状況を語り合っている場面が出てくるが、あれのもっと集中的、包括的なプログラムと思ってもらってもいい。このドキュメンタリーでも、窃盗や詐欺、強盗傷害、傷害致死などで服役している若者たちが輪になって（ときには一つの大きな輪になり、別のときには3～4人の小さな輪となって部屋の中に点在し）語り合うシーンが何度も出てくる。その「語り合い」の数々を、長い期間にわたって撮影し、数名の参加者たちの変化を追った作品が『プリズン・サークル』だ。

この作品を見て、わたしが何より驚いたのは「日本でも、こんな風になるんだ」ということだった。こんな風になる、というのはTCを受けている若者たちの態度や、彼らから出てくる言葉の数々である。英国に住んでいるとグループ・セラピー（いわゆる輪になって語り合うミーティング）はわりと身近にある。わたしも以前、勤めていた無料託児所が福祉事務所と共同で依存症の過去を持つ親たちの自助グループの会合を行っていて、見学させてもらったことがあった。やはり椅子を輪の形に並べた人々が、自分の経験（幼い頃に受けた虐待や暴力、レイプまで）を淡々と語り合う様子を見ていると、これは絶対に日本ではあり得ないと思ったものだった。日本の人たちは、こんな込み入ったことを人前で喋る習慣はないし、個人の記憶の暗いひだの中に隠し込んでいることを、自助グループの会合ごときで白日のもとに晒すわけがないと思っていたのである。こういうのは、明け透けに言いにくいことでも語り合って「オッケー」「エヴリスイング・イズ・オーライ」と肩を叩き合うような、そういうフランクな、というか、ある種の乾いた文化の中で育った人たちだからこそ成立するのであって、わたしが生まれ育った国では絶対に無理。と思い込んでいたのである。

坂上監督も、島根の刑務所がTCを導入すると聞いたとき、違った意味で「日本の刑務所では無理」と思ったそうだ。坂上監督は、以前『ライファーズ　終身刑を超えて』という作品で米国の刑務所でのTCの取り組みを撮影し、ドキュメンタリーにしている。その作品を見た日本の刑務所関係者がTCに関心を持ち、島根で導入することになったのだったが、坂上監督は、日本で導入しても表面的なもので終わってしまい、真の効果を上げることはできないだろうと思ったそうだ。経験上、日本の刑務所や少年院には処罰以外のことは期待できないと知っていたからだという。が、TCを導入した島根の刑務所に赴き、現場の状況を見て目を疑ったそうだ。まるで『ライファーズ』の日本版のような光景が展開されていたからである。

個人的に、このドキュメンタリー映画で最も印象に残ったのは、「第6章　健太郎」だった。27歳の健太郎は親戚の家に侵入し、強盗を働いて叔父に傷害を負わせた。彼は人間の絆は金でしかないと信じ、借金して母親や恋人に金銭を渡してきた。その果てに犯した強盗だったのだが、彼は自分の犯罪に向き合うことができずにいた。ある日、健太郎は他の受刑者たちとのロールプレイで被害者たちと会話させられることになる。TCの参加者たちが、彼が押し入った家にいた親戚の人々を演じるのだ。「どうしてあんなことをしたんだ」と叔父役の青年が言えば、「あれから私、怖くて眠れなくなったんですよ」と叔母役の青年が言う。健太郎はそれら一つ一つの言葉に答えながら、涙を流し始め、初めて自分の加害が他者に与えた影響を考えるようになる。

このシーンがすごいのは、被害者の役を演じているのもまた受刑者（加害者）たちであり、彼らにもそれぞれ被害者がいるということだ。わたしは『ぼくはイエローでホワイトで、ちょっとブルー』という本で「エンパシー」という言葉を取り上げ、その意味について「誰かの靴を履いてみること」と書いたことがあるが、このシーンでは、まさに加害者が被害者の靴を履いている。加害者たちが被害者たちの気持ちを想像して、別の加害者に怒りや疑問を浴びせているのだ。そしてある加害者がそれらの言葉に答える姿を見ながら、そのうち被害者役を演じているTC参加者たちもみな涙ぐんでいる。ロールプレイの後で健太郎は、「被害者役から僕が質問を受けて辛かった以上に、被害者の人は今もずっと辛いんだろうな、という思いが頭から離れない」

と話す。

このシーンは、言葉、というか、人の肉声として人に語られた「言（ことば）」が何かを瓦解させた瞬間に見えた。

瓦解した何か、とはおそらく暴力の生成システムだ。

ヨハネによる福音書の有名な冒頭の文章は「初めに言（ことば）があった」である。英語だと「In the beginning the Word already existed」となっている（『Catholic Good News Bible』Collins）。大文字のWが使われているのは、これはふつうのワードではないということであり、それと同じように日本語でも「言葉」ではないものとして「言（ことば）」と表現されている。ここで言う「言（ことば）」とは、ギリシャ語では「ロゴス」のことであり、「言葉」のほかにも「道理」「法」「理性」「尺度」「根拠」など様々な意味があるが、キリスト教の世界では「世界を構成する論理」――すなわち神の言葉であり、イエス・キリストそのもの――とされている。

「ロゴス」の動詞形は「レゲイン（言う）」だ。だから日本語の聖書で「言（ことば）」という表現が使われているのは、ある意味、非常に的確だ。考えてみれば、新約聖書はイエスが言ったことを弟子が書いたものだからだ。このように大昔の人たちが「レゲイン」の名詞形「ロゴス」を神という超自然的存在と一致させたくなったぐらい、人間が空気を振動させて他者に何かを伝えようとする「言う」という行為には、何かマジカルな力がある。前述のシーンはまさに「レゲイン」が人間に与える深遠なパワーを見せてくれる。

さらに、わたしは、日本の人々は「言う」行為がことのほか苦手だという自分の思い込みにも気づかされた。これは、坂上監督も同じだったのではないだろうか。彼女は「世界」２０２０年1月号掲載の「プリズン・サークル　囚われから自由になるためのプラクティス」の中で、島根の刑務所でＴＣを見学したり支援員と話をしたりするうちに「長年抱いてきた『沈黙の文化は変わらない』という懐疑心が急速に溶けた」と書いている。

「言う」行為は、自分を「出す」ことだが、同時に、自分自身として誰かと対峙し、自分の声と耳と表情と存在で誰かと「関わる」ことでもある。ともすれば（とくに海外在住の経験がある者は）日本の文化にはそれが希薄だと思いがちだが、島根の刑務所の光景はそんな偏見を奇跡のように裏切ってくれる。

ちなみに「レゲイン」には「集める」という意味もあるらしい。輪になって集まった人々が「言（ことば）」で暴力から解放される『プリズン・サークル』は、茫々（ぼうぼう）と暗い現代の闇を照らす一つの灯のようにわたしには見えた。

閉じて開いて

ブレグジット・ブリテンの次の10年

群像　２０２０年４月号

「むすんでひらいててをうってむすんでまたひらいててをうって……」は、日本の童謡だが、２０２０年１月31日にとうとうＥＵ離脱を遂げた英国のこれまでの歩みを考えるとき、この歌が浮かんでしかたがない。

わたしは１９９６年に英国に来た。ここ数年、英国では、「いまや右と左ではない。離脱派と残留派の時代」なんてことがまことしやかに囁かれてきたが、離脱派と残留派はブレグジットで呼称が確定しただけで、この両陣営はずっと前から存在した。むかしは「オープンな世界を望む人」と「閉じた世界を望む人」という、もっとふわっとした呼び方だったが。ブレア元首相なども現役時代に、21世紀の政治は「オープンvs.クローズド」のイシューに支配されると言っていた。

ブレアとブラウン元首相の「ニュー・レイバー（新たな労働党）」の時代が終わると、保守党が政権を握ったが、キャメロン元首相も「オープン」派だった。そこの部分はブレア路線を継承しながら、「労働党政権の無駄遣いのせいで働かない人々が増えて下層社会が荒廃した」という所謂ブロークン・ブリテン一掃戦略を打ち出し、「きちんとした人々vs.無責任な人々」という道徳的な対立軸を「オープンvs.クローズド」に組み合わせ、緊縮財政（財政支出の大幅カット）を進めるうえでのエクスキューズに使った。この時点で、「オープンできちんとした人々」と「閉じた世界を望む無責任な人々」のプロトタイプはすでに完成しつつあったのである。

デヴィッド・グッドハートは、『The Road to Somewhere』という本の中で、この対立は「Anywheres」（リベラルで高学歴で地域コミュニティとの繋がりが薄い人々）vs.「Somewheres」（保守的で地域コミュニティにしっかりと根を張っている人々）であると書いた（84ページ参照）。しかし、これもいまになってみるとおかしいと思う点があり、それは「Anywheres」ほど実は地域コミュニティと関わりが強いということだ。例えば、リベラルで高学歴の人々は地域コミュニティでも有力者であることが多いし、草の根のチャリティーや社会活動が盛んな英国では、こうした運動を支えているのも圧倒的にオープンでリベラルな考え方を持つ人々である。

自由民主党の元党首、ヴィンス・ケーブルは、「アイデンティティ政治」が英国政治を動かす要因になってきていると言った。ナショナリズムと自由主義のどちらを選ぶかが、有権者が投票を決める第一のファクターになっているというのだ。自由民主党が昨年の欧州議会議員選挙で大躍進したことを考えれば（そして逆に国内の議員を選ぶ総選挙ではしょぼい結果だったことを考えても)、これは現在の状況に最も近い指摘なんだろう。さらに言えば、「ナショナリズムを選ぶ自分」と「自由主義を選ぶ自分」というのが個人のアイデンティティになっていて、そっちの意味でのアイデンティティ・ポリティクスが急激に進んでいる。「オープンさん」と「クローズドさん」はむかしからいたのだが、EU離脱で両者の分断が極端なまでに先鋭化してしまったのだ。

昨年末の総選挙では、労働党の心臓部と呼ばれてきたイングランド中北部の街で、先祖代々労働党を支持してきた人々の多くが保守党に鞍替えした。テレビのニュース番組で、それらの人々が「労働党が2度目のEU離脱国民投票を支持すると言い出したから」と言っているのを見た。が、わたしの周囲(ブライトンやロンドンなどイングランド南部)の離脱派の労働者たちは、以前は国民投票の結果を尊重すると言っていた労働党の変更方針を裏切りに感じたものの、「やっぱりどうしてもトーリー(保守党)にだけは入れられない」という理由で労働党に投票した人が多かった。

ということは、中北部では、「労働者なら労働党」みたいな古典的ワーキングクラスのアイデンティティよりも、「離脱派」というアイデンティティが勝ってしまっているのだろうか。一つの仮説として成り立つのは、EU離脱投票後、「中北部の離脱派は感情的」「むかし製造業が盛んだった町の取り残された人たち」「低学歴で政治のことがよくわかっていない」などと言われたせいで、（国民投票では勝ったにもかかわらず）蔑まれるマイノリティになったような感覚を強め、「離脱派」という新たな帰属意識を持ってしまっているということだ。この帰属先は民族や人種ではない。トライブである。

では、もう一つのトライブである残留派の過去10年間の歩みを見てみよう。ニュー・ステイツマン誌のスティーヴン・ブッシュは、現在の残留派を見ていると、2003年のイラク戦争反対運動を思い出すと言う。あのときもイラク戦争反対派たち（その多くが親ヨーロッパ派だった）は数万人規模のデモを組織してブレア政権の危険性を訴えながら、ブッシュ政権に追随してイラク戦争を始めたブレア元首相が2005年の総選挙で勝利することを阻止できなかった。

イラク戦争反対運動に参加した人々は過去10年の間に2度の陣営替えを行った。1度目は、クレッグ元党首率いる自由民主党支持に回ったときである。イラク戦争に加担した労働党に愛想をつかしたリベラルたちは、中道左派の第3政党、自由民主党に鞍替えして、2005年、2010年の総選挙で同党を躍進させた。その結果として、2010年の総選挙で政権交代が起こり、保守党と連立を組んだ自由民主党のクレッグ元党首は副首相になった。

キャメロン元首相率いる保守党とクレッグの自由民主党は「オープン」な政治理念

の方向性では繋がることができた。しかし、自由民主党は保守党の緊縮財政とは相容れない政策を打ち出していて、とくに大学の授業料値上げには反対していた（ので若者に熱狂的に支持された）。が、結局は連立を組んだせいで値上げを容認することになり、貧困や格差の問題にも熱心だったリベラルの中の一部の陣営を失望させた。

そしてこの層が２０１５年の労働党党首選で「泡沫候補」と呼ばれていたジェレミー・コービンを党首の座に就かせる原動力となった。つまり、イラク戦争反対運動を行っていた人々の2度の陣営のスウィッチが、現在の英国の状況を生み出した原因の一つと言える。クレッグの自由民主党を推して躍進させたことが、保守党政権を誕生させてキャメロンがＥＵ離脱国民投票を行うことを可能にしたし、コービン率いる労働党が昨年末に総選挙で大敗したことがジョンソン首相がＥＵ離脱を断行することを可能にしたからだ。

だから、いまは離脱派が優勢のように見えても、今後10年間の英国でも残留派が政治や社会に影響を与えないということはあり得ない。もともとは「オープンさん」「クローズドさん」というふわっとした印象で捉えられていた人々の引き合いのバランスの力学が状況を変えていくからだ。閉じているように見える時期もあれば、開いているように見える時期もあるが、閉じている時期を作り出したのは開きたい人々の失敗であり、開いている時期の裏側ではすでに閉じたい人々の画策が始まっている。

この両者の攻防は永遠に続くのか、それともいずれどちらか一方に軍配が上がるのかは意見が分かれるところで、前者は中道派や冷笑派、後者は「オープンさん」と「クローズドさん」がそれぞれの立場から言いがちなことだ。「むすんでひらいて」の歌は掌を閉じたり開いたりを反復していたなあと思ったところで、はたと気づいた。そうではなかった。あの歌は、「むすんでひらいててをうってむすんでまたひらいててをうって」の後に「そのてをうえに」という意表を突いた動作が出現するのだった。

この「オープンでもないクローズドでもない新たな手の動き」とは、いったいアナキズムなのかAIによる新世界秩序なのか、はたまたマルクスの言ったアソシエーションみたいなものなのかはわからない。が、それがもしかして「右でも左でもない第三の道」のブレア政治みたいなPR先行の代物だったら、英国政治は今後また10年ぐらいは、攻防は続くよどこまでも、野を越え山越え谷越えて、の新たな童謡のフェーズに突入するんじゃないかと思われる。

ザ・コロナパニック

わたしを英国嫌いにさせないでくれ

群像　２０２０年５月号

日本でデマを信じた人々によるトイレットペーパーの買いだめが起きていると聞いたとき、まあこんなことは英国ではないよな、と思ってわたしは笑っていた。「６軒もスーパーを回って、ようやく見つけたばい」と福岡の親父が言ったときも、「マジで!?」と他人事として面白がっていたのである。

ところが。

英国でもまったく同じことが起きている。先日、歯医者に行こうと家を出たら、若い女性が赤ん坊の乗っていないバギーにトイレットペーパーを積んで歩いている。「おはようございます。ずいぶんたくさん買われましたね」なにげに声をかけたら、彼女は答えた。

「坂の下の雑貨屋に、トイレットペーパーがあります。スーパーの棚はどこも空っぽだけど、あそこにはありますよ。まだいくつか残ってました」

まるでわたしが飛び上がって買いに走るのを想定しているような言い方だった。

「ああ、そうですか」

と答えたわたしの口調に緊迫感が足りなかったのか、彼女は奇妙なものを見るような目つきでこちらを見ていた。

「どうしてそんなにたくさん物を買ってくるの？」

ついにうちの配偶者さえトイレットペーパーだの缶詰のビーンズだのを買いだめして帰って来るようになったので呆れてつい聞いた。

「だってコロナに感染して2週間も自主隔離させられたら、食べ物を買いにいけねえだろ。で、そう思ってみんながいろんなものを買いだめするから、たとえ感染しなくてもそのうち物が買えなくなる。ぼさっとしてる場合じゃない」

「パニック買い」とはよく言ったものだ。で、それに乗じなかったり、ちょっと批判的な反応を見せるとわたしのように「気取ってる」と罵倒される。これならまだ「製造元が中国だから供給不足でトイレットペーパーがなくなる」というデマを信じて買いに走るほうが動機としてはかわいいのではないか。感染して自主隔離する人たちのせいで食料や日用品が品薄になるからいまのうちに買い占めとけというのは、ちょっとあまりに個人主義が露骨というか、人は死んでも自分だけは生き残る、みたいな姿勢が剝き出しで、英国の方々はふだんの人権意識はどうなさったのでしょうかと言いたくなる。おかげで、うちなんかも口論が絶えず、コロナ離婚すれすれである。

「自分や家族が困らないために危機を予測して行動を起こすことがなぜいけないのか」

パニック買いをする人々の「正義」はこうである。だが、そういうことをするからこういうことが起こるんですよ、と突き付けてやりたくなるような問題が社会の末端ですでに起こり始めている。

パニック買いのしわ寄せがフードバンクに行っているのだ。常温で保存可能なUHT牛乳や缶詰、シリアルなど、フードバンクでおもに配給されている食料が品薄になっているからだ。ほとんどのフードバンクには巨大な冷蔵庫があるわけでもないし、利用者も自分の冷蔵庫がない環境で暮らしていることがあるので、常温で長期保存することが可能な食品が主な配給品になる。ところが、「万が一」のときのために買いだめする人々もやはり長期保存できる食品を求めるため、フードバンクとパニック買い消費者の需要が見事に被ってしまっているのだ。

英国ではセインズベリーズやウエイトローズなどのスーパーマーケットの中にフードバンク用の食料品を寄付できるコーナーがある。そうした場所での寄付の数もパニック買いが始まってからめっきり落ちているそうで、ロンドンのあるフードバンクでは平素の25％にまで寄付が減少しているという。ついに一家族あたりに配給する食料の量を減らしたフードバンクもあるそうで、家族の人数が多ければ多いほどその打撃を受ける。元国会議員で貧困対策の社会運動のベテランであるフランク・フィールドは、「我々一人一人が、もう一袋パスタが自分のために本当に必要かどうか、それとも今お腹を空かしている家族のために寄付すべきかどうかを考えてみるべきです」とガーディアン紙上で呼び掛けていた。

14日間の自主隔離を行う人が増えれば、もちろんその中には「ギグ・エコノミー（単発の仕事を受け続けることで生計を立てる形態）」で働く人や自営業者も含まれるから、外に出て仕事をすることができなければ貧窮する人々が出てくるだろう。また、もしも日本のように学校が閉鎖されると、ふだんはフリーミール（無料の給食）でお腹を満たしている貧困層の子どもたちにも影響が及ぶことになる（と書いていたら3月20日には英国でも閉鎖された）。どう考えてもフードバンクを利用する人は増加することが予測されるのに、肝心のフードバンクがパニック買いのせいで必要な食料を手に入れることができなくなったら、もう地獄絵図としか言いようがない。

新型コロナウイルス感染で、アジア人に対する人種差別が増加したり、国境を閉じることの正当性が語られたりしていることも世界が直面している重大な問題だ。が、このパニック買いに端を発する露骨な格差の正当化にも物凄まじいものがある。英国は、貧困を人権問題として考える国ではなかったのか。だのに、「自分と自分の家族が混乱期をつつがなく乗り切るためなら、フードバンクも子どもの貧困も忘れていい」みたいなこの空気。サバイバルが正義とされる非常時の社会では、ヒューマンライツなんてものはこんなにも鮮やかにブチ飛ぶ。

日本で最初に不足したのはマスクだったそうだが、英国にはマスクをつける習慣がないせいか、コロナパニックの現在でもマスクをして歩いている人を見ることは地方都市ではまずない（アジア系の方で時おり見かけるが）。そのせいか、「マスクは感染予防にそれほど効力はない」という専門家の声はみんな素直に受け取っているようだ。が、英国で最初にパニック買いが起きたのは、手と指用の殺菌ジェルだった。こちらはふだんからわりと使う人がいたせいか、「普通のせっけんで頻繁に洗えばそれでいい」という専門家の呼びかけは全く無視されている（パニック買いが起きる品目もふだんの生活習慣に基づいていることがよくわかる）。平素は100円以下のこの手と指用の殺菌ジェルが、いまやオークションサイトで数千円で取り引きされているのだから驚くが、こんな風にコロナを利用して商売をしたい人は除き、感染が広まらないことを願うのなら、殺菌ジェルの買いだめは逆効果だ。使わない殺菌ジェルを山のように戸棚の中に持っておくより、それらを世間の人々に使ってもらって各自清潔にしておいてもらったほうがいい。殺菌ジェルやトイレットペーパーを買い占めて流通をブロックしたら、世の中に手やお尻が不潔な人を増やすことになり、そのような社会こそ公衆衛生を劣化させて感染症を蔓延させる（不況になるぞとパニックしてみんなが貯金したら世間にお金が回らなくなっていよいよ不況になるのと似ている）。

「INSANE」というむかしなつかしいルースターズのアルバムを思い出してしまうが、先日、留守中に届いた荷物を受け取るために郵便局の窓口に行ったら、小包を受け取っていたご婦人が「これ、中国経由かもしれないから手を洗ったほうがいいかも」と郵便局員に真顔で言っていた。帰りにカフェに寄ったら、「嬉々として食品を備蓄しているのは戦時中にノスタルジーを感じている世代だろ。彼らは国境閉鎖も大好きなEU離脱派」と言って、この機に乗じて年長のブレグジッターズをこきおろしている若者もいた。

この非常時にまでEU離脱闘争を繰り広げるのはやめてくれませんか、と思いながら家に帰ってテレビをつけたら、ついにトイレットペーパーの購入数制限を始めたスーパーからの中継が流れている。「戦時中と一緒だよ。ブリティッシュは一丸となってウイルスを打ち負かさないと」と買い物客の高齢の男性が本当に言っていて、わたしは黙ってテレビを消した。

どこまで続くインフェルノ（地獄絵図）。

この国とコロナ離婚することになったらどうしようと本気で心配になってきた。

コロナの沙汰も金しだい

群像　２０２０年6月号

　わたしの配偶者はダンプの運転手であり、配送業従事者はいちおう英政府が定めた「キー・ワーカー」にあたる。医療関係者、警察、消防士、教員などの公共セクター職員に加え、スーパーマーケット店員や配送業者などはロックダウン中でも働けと言われている。だから配偶者はこれまでどおり仕事に行っており、わが家の場合は全面的なロックダウン感はない。

　というか、この「キー・ワーカー」のリストを見ると、介護士とかバス運転手とか保育士とか低賃金の仕事がずらっと並んでいることに気づかずにはいられないのだが、それと同時に思うのは、わが家がある界隈にはロックダウン中も働いている人が多いのでは、ということだ。つまり、労働者階級が多く住んでいる地域は、そんなにロックダウンでひっそり眠っているような雰囲気にはなっていない、と推測されるのだ。

　推測される、などと持って回った書き方をしているのは、わたしたち一家は現在、仮住まいをしているからだ。つまり、いつも住んでいる「わが家」の地域にはいないのである。それというのも、今年の初めにセントラルヒーティング・システムが故障してしまい、家中の床を取っ払ってパイプの総取り換えが必要になり、そうこうするうちに家屋にアスベストと呼ばれる有毒な資材が使用されていたことも判明して、大修繕・改修工事が必要になったからだ。それで知人のツテを頼り、オーストラリアに移住したばかりの一家の住宅を一時的に借りて引っ越したのである。ところが、コロナ禍で住宅資材なども入手困難になり、当初は2ヵ月程度の予定だったのだが、もしかしたら、今年いっぱいは元の家に戻れないという状況もあり得るのでは、と囁く建設業者もいて心配になる。が、そんなわたしの心配に逆行するように、仮住まいの家の窓から見える風景は平和そのものだ。

このエリア、実はミドルクラスのポッシュな住宅地なのだ。コロナ感染？　どこの話ですか？　と言わんばかりのエレガントな光景が展開されていて、前庭で草刈りをしている人もいれば、椅子をパティオに出して読書に熱中している人もいる。また、外出禁止中も一日に1度のエクササイズや犬の散歩は許されているため、ジョギングしている人やサイクリングしている人、犬を連れて大きなサングラスをかけ舗道をひらひら歩いている金髪のミセスなどもいる。

はっきり言って、外出禁止になる前と何も変わらないのだ。

考えてみれば、この辺はふだんから在宅勤務している人が多いのだった。ブライトンの中心地から遠く離れた田園地帯。こんなところに高価な家を買って住める人たちは、自分でビジネスをやってサクセスしている人たちや、週に何度か会社に行くだけで基本は在宅勤務している企業の重役とかだ。毎日外に出てあくせく働いている人々が住むエリアではないのである。ロックダウンで眠っているわけではない。ポッシュ村はふだんから眠っているのだ。

買い出し事情にも格差が表出している。もとの家の近所に住むママ友と携帯で話すと、40分もスーパーの前に並んだとか、肉とジャガイモが全部売り切れで、卵も手に入らなかったとか悲痛な声で言う。テレビのニュースでも、スーパーの前に並んでいる人たちが所謂「ソーシャル・ディスタンシング」ルールを守って2メートル距離を置きながら立っているものだから、スーパーの周りをぐるりと一巡するような長い列になった映像などが流れている。

しかし、ポッシュ村にはこのようなことはない。

この地域にあるのは、安価で庶民的なスーパーマーケットではなく、スーパーの階級ピラミッドの頂点に位置するマークス&スペンサーの支店だ。そこには行列なんかできていない。いつものようにするっと店内に入って行けるし、肉も、ジャガイモも、卵も、平素と変わりなく棚に並んでいる。そういえば、ここだけは、このロックダウン下にあってもまだ営業時間を変更していないスーパーである。他の庶民的なチェーンは、買い溜めに対応して棚に食品を補充する時間が必要になり、営業時間を短縮している。つまり、マークス&スペンサーを利用している階層の人々はパニック買いをしないのだ（したらすごい金額になりそうだ）。「ソーシャル・ディスタンシング」にしても、そもそも高級だから普段からわんさか人が来る店ではなく、別に店員が目を光らせなくとも、ナチュラル・ソーシャル・ディスタンシングというか、いつもゆったりと優雅に人々は買い物している。何も変わったところはない。

なんかほんとに、このポッシュ村で生活していると、コロナ禍なんて遠い国の話みたいというか、そんなことが起きていることさえ忘れそうになるのだ。これまでわたしは労働者階級の街に住む人間として、ミドルクラスやアッパーミドルの人たちには、下層の生活や現実がまったく見えていないと書き続けてきた。しかし、今回、自分がポッシュ村に住んでみてよくわかった。

こりゃあ見えなくなるわ。

コロナ禍でもこの余裕とエレガンス。たぶん、戦時中もこの階層はこうだったんじゃないかと思えてくる。

こんなところに閉じ籠っているとぼんやりした無知な人になりそうなので、もとの家を見に行くことにした。外出禁止令って言ったたって、わたしは自分の家に帰ろうとしているのだから、警官にとやかく言われたら帰宅中ですと答えてやる。と身構えてみても、それでなくとも緊縮財政で警察の人員を大幅削減してきた英国に、こんな地方にまで警官をパトロールに派遣する余裕はない。

ひたすら歩き続けて見慣れた風景が見えてきたときには、おお、わが公営住宅地よ、と声が出そうになった。何の無駄な装飾も施されていない煉瓦造りの四角い箱のような住宅たち。芝がだらしなく伸びた庭に洗濯物がひらひらとはためいている。その家々の距離の近さも、剥き出しの生活の匂いや貧乏臭さもこうなってみると愛おしかった。だいたいわたしはこの街で20年以上も暮らしてきたのである。はっきり言って日本の実家で暮らした年数よりよっぽど長い。ここがわたしのホームなのだ。

意味もなくじーんとしながら坂を登っていると、見覚えのあるスキンヘッドの男性が、安売りで有名なスーパーの制服を着て反対側の舗道を歩いてきた。友人だったので千切れんばかりに手を振って道路を渡り、近づこうとすると、「ストップ！」と制された。そうだった。いま人と人の間には距離が必要なのだ。

「どんどん自主隔離するスタッフが出てるから、俺は倒れられないんだ」

と彼は言い残し、職場に向かって行った。その悲壮な横顔はまるで戦場に向かう兵士のようだった。少し行って、もとの家のある通りに差し掛かると一軒の家から車が出て来た。介護士をしている近所のお母さんが首から職場のＩＤカードを下げて運転席に座っている。これからシフトに入るに違いない。すれ違いざまにクラクションを鳴らしてくれたので、わたしも片手を挙げてそれに応える。やはりこの辺りの人々はロックダウンなど関係なく働いているのだ。

デヴィッド・グレーバーは、世の中からなくなっても誰も困らない仕事のことを「ブルシット・ジョブ（どうでもいい仕事）」と呼んだ（彼によればそれはホワイトカラーの事務・管理職だ）。ということは、外出禁止令の最中でも出勤を求められているキー・ワーカーたちは、「ブルシット・ジョブ」ではない仕事をしていることになる。

いま彼らがいないとこの国は回らない。EU離脱の国民投票以来、労働者階級はバカだの何だのと言われてきたが、こんなことになるとは皮肉なものである。坂道をさらに登っていくと、まるでオリンピックのときみたいに窓から国旗を垂らしている家があった。よく見ると一軒ではない。それは何軒もの家の外壁に垂れ下がり、はためいている。

不吉なものを見たような気になり、立ち止まった。

空はしんと澄んでいて、冴えた青みはなんとなく人を不安にさせる。

ずっとむかし、バタイユの『青空』という小説を読んだなあと唐突に思い出していた。

ロックダウンのポリティクス
右やら左やら階級やら

群像　2020年7月号

とある日本の識者たちの鼎談動画をネットで見ていると、こういう論点があった。コロナ禍で、左右の政治的イデオロギーは完全におかしなことになってしまった。むかしは左派こそが自由を求めたものであり、右派は保守的だった。それが、いまや左派こそが外出するなと言って不自由を求め、右派が外出規制に反対している、というものだ。

いやはや、どこの国も同じだなと思った。英紙ガーディアンで同じような記事を読んだばかりだったからだ。「ボリス・ジョンソンのロックダウンが、右翼の怒れる文化闘士たちの最新のターゲットになっている」という4月27日付の記事である。

この記事が出た時点で、英国ではロックダウン開始から1ヵ月と4日目。そろそろこういうのが出てくる時期だった。ロックダウンが始まって数週間は、「この危機を政治化するな」みたいな空気があった。英国の場合、首相自らがコロナ感染で倒れてしまい、生死の境を彷徨ったのちに回復するというドラマがあったからだ。退院したらしたで今度は赤ん坊が誕生するという慶事もあり（ボリス・ジョンソンという人は、この非常時に個人的にもかなり非常な体験をしている）、いま首相を罵倒するのは大人げないというムードだった。

が、状況は変わった。前述の記事によれば、英国では、ブレグジット以前の時代に戻ったような右派と左派の文化的対立が激化しているという。曰く、「離脱派の知的指導者たちが聞いたことのあるようなテーマに手を加え、使い古されたナラティブを復活させた。それは『愛国心あるふつうの人々vs.都市部エリートの"whingeocrat"＋英国が大嫌いな意識高い系の左翼』というものである」。

「whingeocrat」は「technocrat（テクノクラート）」のもじりであり、「whinge（しつこく不平を言う）」とテクノクラートが合体した言葉だ。EU離脱投票の結果にいつまでも文句を言い続ける残留派エリートたち、ぐらいの意味で使われている。

英国政府は、もともとはロックダウンを採用せず、集団免疫の獲得を行おうとしていた。つまり、新型コロナ感染症によるリスクはそれほどでもないと判断し、外出制限を行わず早々に集団免疫を獲得するという戦略を取ろうとしたのだ。が、これは、NHS（国民保健サービス）が過去10年間の緊縮財政でボロボロになっていて、あてにならないことを知っていた国民の大反感を買った。インペリアル・カレッジ・ロンドンも、そのようなことをすれば英国の病院がどのようなことになるかという悪夢の予想を発表した。これを受け、政府は突如として180度の方向転換を行い、英国はロックダウンに突入したのであった。

そりゃそうだろう。平素から、近所のNHSの診療所で主治医に会うのですら2週間はかかったし、専門医に1ヵ月以内に会えたら「ラッキー」とか喜んでいたような状況だったのに、こんな状態でウイルスを野放しにするとか言われたら、不幸にして重症になった人は死んでください、治療はしませんので、と言われているも同然と人々は感じたのだ。

しかし、こうして始まったロックダウンが、左右思想バトルの新たな戦場になったと前述の記事は指摘する。EU離脱論争がそうだったように、右派が「自由（EUからの解放、ロックダウンからの解放）を求めるフリーダム・ファイター」となって戦いを始めたからだ。彼らがつくったナラティブの中では、左派は「あれはいけませんし「これもいけません」の規制が好きな口やかましい人たちだ。このことは、ロックダウンが環境改善に一役買っていることにも関係している。外出禁止の影響で英国の大気汚染率が大幅に減少しており、わが街ブライトンなどはBBCから名指しでNO_2量が60％も減った地域と報道され、英国って実はこんな国だったのかと衝撃を受けるほど空が澄んでいて美しい。この状況が続けば、「灰色の英国の空」というイメージは単に大気汚染のせいだったということになるだろう。

環境問題はこれまで左派のアジェンダだったので、ロックダウンによる外出「規制」が環境を守るための「規制」にもなり、「規制」懐疑派の右派にはすべてが地続きであるように見えてくるわけだ。こうして、左派がいわゆるロックンロールの「Rockers」ではなく「Lockers（鍵をかける人たち）」となって、右派が「Liberators（束縛から人々を解放する人）」というナラティブを成立させることが可能になっているのだ。

このように、「またかよ」と言いたくなるようなEU離脱以来の代わり映えしない左右対立の構図が続くなか、一方ではデヴィッド・グレーバーが新しい階級の概念を政治思想の議論に持ち込んでいる。彼が持ち込んでいる階級のコンセプトは、使い古された「上」と「下」ではない。「ブルシット・ジョブ階級」と「ケア階級」の構図だ。

彼は、著書『Bullshit Jobs: A Theory』（邦題『ブルシット・ジョブ　クソどうでもいい仕事の理論』２０２０年７月刊）の中で、現代社会は存在しなくとも誰も困らない仕事で溢れていると書いた。管理、人事、広報、情報管理などの20世紀に増えた雇用のほとんどは、やっている本人たちにもやる意味がわからない仕事で、一定の時間を埋める（時には上司の目を気にして残業する）ために無意味な仕事を作り続けているという。

それに対し、世の中にはダイレクトに他者の役に立つ仕事もある。ロックダウン中に、英国では「キー・ワーカー」、米国では「エッセンシャル・ワーカー」と呼ばれてコロナ禍のヒーローとして賞賛された人々の仕事だ。医療関係者、介護士、教員、保育士、ゴミ収集員、スーパー店員、バス運転手、消防士、警察官などの職業がこれにあたる。

一般に、医師などの少数の例外を除けば、これらの仕事は英国では「シット・ジョブ」と呼ばれてきた。「ブルシット（クソのような）」ではなく、本物の「シット（クソ）」である。なぜかといえば、体を使う大変きつい仕事なのに最賃ギリギリの低い賃金しかもらえないからだ。最も報われない仕事として、正真正銘のクソ仕事と呼ばれてきたのだ。グレーバーはまた、これらの仕事のほとんどは低賃金なのに「命がけ」の業務だとも指摘する。感染症のおかげでそれは従来にも増して明らかになった。医療関係者は言うまでもなく、介護士も保育士もバス運転手も、他者と触れ合えば感染の危険がある中で仕事を続けなければならない。これらの仕事は、オンライン化することのできない仕事だからだ。

（一時的なもので終わる可能性もあるが）今回のコロナ禍で、社会において尊敬されるべきなのは「ブルシット・ジョブ」ではなく、報われない本物のクソ仕事をしてきた「ケア階級」だという価値観の転換が起きた。これまでの、労働者階級が資本家階級に向かって拳を突き上げるという階級闘争ではなく、「誰が意味のある仕事をしているのか」という価値観に基づいた階級の逆転である。数ヵ月前まではあり得ないはずだったこの概念の転換は、ある意味で、すでに革命だ。

グレーバー提唱の新たな階級論は、マルクスではなくクロポトキンの思想の延長上にある。人間には他者をケアしたい本能が備わっていて、人はそれをしながら生きる方向に転換せねばならないという彼の持説は、平時には「お花畑」でも、緊急時にはすこぶるリアルに聞こえる。

英国でテレビを見ていると、セレブリティや一般の人々がキー・ワーカーたちに「ありがとう」と言う動画が何度も流れる。ロックダウンに不平を言わせないための政府主導のプロパガンダと言う人もいるし、こんなときばかり医療関係者たちを持ち上げて悪趣味と言う人もある。偽善的な美談の垂れ流しはもううんざりだと眉を顰めるインテリ層も多い。

だが、これが階級に対する価値観の逆転という革命の始まりを象徴するものだとしたらどうだろう。

少なくとも、これは延々と更新される左右対立の議論より新しい。自宅から歌う人気シンガーの曲と共に流れるのが洒落たクラブやパーティーの映像ではなくなり、路上で働くゴミ収集員の映像になったテレビ番組を見ながら、そんなことを考えていた。

そしてまた振り出しへ

群像　２０２０年８月号

ロックダウンが段階的に緩和されている。５月半ばには、「エクササイズ目的」であれば何度外出してもＯＫになった。おかげで海辺の街ブライトンには、ロンドンから人が押し寄せ、ビーチですずなりになって初夏を楽しんでいる。さらに、６月に入ってからは、ブラック・ライヴズ・マターのデモも始まり、なにかもうソーシャル・ディスタンシングは過去の話になったような、ポスト・コロナの様相を呈している。

しかし、いったい事態はポスト・コロナになっているのかと言えば、そうでもない。ウイルス検査で陽性と判明してから亡くなった死者の数は４万人を突破しているし、死亡診断書に新型コロナウイルス関連と医師たちが書いた人の数でみると、５月末までに５万人近くが亡くなっている。おそらく、感染者の少ない日本の人々から見れば、外出規制の緩和などやってる場合じゃないだろうと思われそうだ。

ではなぜ、ジョンソン首相は嬉々としてロックダウンを緩めているのか。これにはもちろん、経済活動を再開させせろという財界からの要請もあるだろう。が、それ以前の問題として、明るいニュースを人びとに聞かせたほうが支持率があがるから、というポピュリズム的理由があるという声もある。

　メディアももう次のネタに移行している。こんなに毎日死者が出ているのに、もはやそれがニュースにもならず、コロナ関連報道がぐっと減っている。ブレグジット↓コロナ↓ブラック・ライヴズ・マター。最近の英国のメディア報道の全面的な切り替わり方は凄まじい。あまりに極端で、一番ポピュリズムなのはメディアなんじゃないかと思うほどだ。むかしは、大きなニュースがあっても、違う話題もいちおう少しは伝えていた。それがいまはもう、視聴率が取れる（とメディアが思っている）話題オンリーになり、同じ映像が何度も使い回される。

　このようにコロッと話題が変わってしまうため、例えばコロナ報道が始まってからはブレグジットのブも聞くことがなかった。が、実は水面下でＥＵとの通商交渉が始まっていた。また、ブラック・ライヴズ・マター報道一色になってからは、コロナの今日の感染者数すら伝えないニュース番組がある。が、実は6月10日だけでも陽性と認められた人々の数は１０００人を超えている。

　次のビッグ・ウェーヴだ、とばかりに新ネタに全面的に変わるため、前に扱われていた話題がいぜんとして進行していても見えなくなってしまうのだ。これは、国民の注目を逸らしてひっそりとＥＵと通商交渉をやりたい政府の陰謀だ、または、コロナ感染者が増えていてもそれを隠したい政府の陰謀である、といった政府&メディア共謀論を唱える人々もいるが、まあそれは置いといても、次から次に来るビッグ・ウェーヴで得をしているのはジョンソン首相だ。

なぜなら、EUとの交渉で失敗して英国経済が悪化したとしても、「だってロックダウンして経済止めたから」とコロナのせいにできるし、早々にロックダウンを解除したことで第2波がやってきたとしても「だってブラック・ライヴズ・マターとか言って若者たちが街に出て、ソーシャル・ディスタンシングのルールを守らないんだもん」と言い訳ができるからだ。しかし、その幸運はいつまでも続かないかもしれない。

次なる英国政府にとっての真の脅威は、おそらく選挙である。いや、英国全体での総選挙ではない。それは昨年の12月にやったばかりだ。そうではなく、来年5月に行われるスコットランド議会選挙である。もしこの選挙でSNP（スコットランド国民党）が勝利し、4期目になる政権を握れば、スコットランド独立の是非を決める住民投票が再び実施される確率が高くなるからだ。

思えばいまから6年前、スコットランド独立の住民投票は、それ以降の英国政治の流れのスタート地点になった。あのとき住民投票が実施されたという事実が、「それならば自分たちにもEUから独立するチャンスを与えろ」という言い分を離脱派に与え、キャメロン元首相がEU離脱の国民投票を実施するなどと口走ってしまった。また、「反緊縮派」を自称し人気を得たSNP現党首でスコットランド首相のニコラ・スタージョンが、「緊縮に反対するのかしないのか、スタンスをはっきりしろ」と労働党のミリバンド元党首に詰め寄ったことが、その後、バリバリの反緊縮派である「ミスター・マルキシスト」ことコービン元党首が誕生する下地を作った。

また、何が右で何が左なのかという従来のカテゴライズが崩れ去り、さかんに議論されるようになったのもスコットランドの独立住民投票以来だった。本来なら、独立を求めるナショナリスト政党であるSNPは右派と呼ばれて然るべきなのに、政策を見て行けば、環境重視で多様性や社会包摂の問題にも目配りし、「労働党よりも左」と言われるほど進歩的な顔も持つ。例えば、女性党首のスタージョンを擁するSNPが政権を握るスコットランドでは、英国に先んじて2018年から学校で生理用品の無料配布を始めたし、今年世界で初めて、必要な女性すべてに生理用品を無料で提供するという異例の法案を可決して大きな話題になったばかりだ。それでいて、ナショナリストであることは党名からも明らかであり、「カメレオン政党」と呼ばれることもあるほど、彼らは左派っぽくもあり右派っぽくもあり、なんだかよくわからないけれども強い。

2015年から2016年の間に欧州を騒がせた「新左派」と呼ばれた勢力をいま

見ると、ジェレミー・コービンは昨年末の総選挙で大敗して党首を辞任したし、スペインのポデモスは現在でも存在し、PSOE（スペイン社会労働党）と連立を組んで政権を握って党首パブロ・イグレシアスが副首相の座に就いてはいるが、ポデモス単体として見れば、もはや数年前の勢いはない。2016年に出版した拙著『ヨーロッパ・コーリング』では、章ごとの扉に、スタージョン、コービン、イグレシアスの3人の写真が使われていた。が、最後まで残ったのはニコラ・スタージョンだ。昨年の総選挙でも、大敗してうち沈むコービンとは対照的に、スコットランドでほぼ全勝し、笑いが止まらないという調子でガッツポーズを取っていた彼女の映像は印象的だった。

総選挙で大勝したスタージョンは、スコットランド独立をめぐる住民投票の再実施を行う権限をスコットランドに委譲してほしいとジョンソン首相に要求した。が、彼はこれを冷たく退けた。それでも彼女はSNPの悲願であるスコットランド独立を求め続けるだろうし、EU残留派の多いスコットランドの人々も、英国とEUの通商交渉が難航したり、決裂したりすれば、自分たちだけはEUに残りたいと強く願うだろう。それが現実的に何を意味するかと言えば、スコットランドの独立である。

もし来年5月のスコットランド議会選挙でまたスタージョン旋風が巻き起こり、SNPが圧倒的な勝ち方をするようなことになれば、ジョンソン首相は現在のようにS

NPの要求を握りつぶせなくなる。そもそも、自分が「EUからの独立」を謳ってEU離脱派を率いたくせに、「英国からの独立」をめざすスコットランドをブロックするのは理念的に矛盾している。彼が頑なな態度を取れば取るほどスコットランドの有権者を怒らせることになるし、そんなときにEU離脱とコロナ禍で経済がとことん悪化するようなことにでもなれば、治安の悪化や暴動を招くことにもなりかねない。ロックダウン中に毎週行われたキー・ワーカーたちへの拍手が終了したので、今度は毎週火曜日の夜8時に家の外に出てジョンソン首相にブーイングしようとツイッターで呼びかけた人がいたが、スコットランドでは本当にストリートをあげて人々がブーイングしていたという映像もある。

英国政治は、再びスコットランドに、そしてニコラ・スタージョンに回帰している。ぐるっと回ってまた振り出し、みたいな、そんな気分がしないこともない。かの地の人々がすごいのは、ビッグ・ウェーヴにさらわれず、いつまでも執拗に同じことを求め続けるところだ。

あなたがニュー・ディールですって？隔世の感にファックも出ない

群像　２０２０年９月号

ジョンソン首相が、ニュー・ディールをやると言い出した。１９３０年代の大恐慌を受けて米国のルーズベルト大統領が行った経済政策を、コロナ後の英国で行うというのである。

ニュー・ディール。これは昨年の総選挙で大敗した労働党の元党首、ジェレミー・コービンが言い続けた言葉だった。彼だけではない。２０１６年にDiEM25（「Democracy in Europe Movement 2025」ヨーロッパの民主主義運動２０２５）という運動を立ち上げたギリシャ元財務相のヤニス・ヴァルファキスも「ヨーロピアン・ニュー・ディール」「グリーン・ニュー・ディール」といった具合に連発してきた。

「新規まき直し」という意味を持つこの言葉は、欧州の反緊縮派（そして米国のオカシオ＝コルテス下院議員やサンダース派）の共通スローガンだった。彼らは、現行の吝嗇（りんしょく）な緊縮政治に異を唱え、なんでもかんでも「財源がありません」を理由に諦めさせられる社会を変えるべきと訴えた。が、このやり方は一様に「ポピュリズム」と批判された。詐欺師みたいだからだという。

とはいえ、ポピュリズムという言葉の起源（19世紀末の米国南部や西部で盛り上がった農民運動から結成された「人民党（ポピュリスト）」から来ている）を考えれば、これはおかしな話だ。「農民運動」は「詐欺師」の同義語ではない。「ポピュラリズム（人気主義）」と「ポピュリズム（人民主義）」の混同がいま世界にシリアスな災厄をもたらしていないだろうか。

なんとなればポピュリズムは、実はそんなに民衆に人気があるわけではない。「今日から人民主義で行きますから、午後7時からの人民会議にみんな参加してくださいね、政治課題の決定を一部のエリートに任せず、全人民が何時間も熟議を重ね、みんなが納得できる形で決定します。だからみなさん仕事から帰った後は、毎日、会議に出席してください」と言われたら、本気で参加したいと思う人はどのくらいいるだろう。たいていの人たちは一日の仕事を終えて家に帰ったら、家族で焼肉したり、Netflixで昨日見たドラマの続きを見たいのだ。アイロンがけが必要な服も溜まってるし、ゴミの仕分けもせなならん。それなのに毎晩毎晩、仕事が終わったら熟議するというのは、よっぽどそういうのが好きな人でもない限り、勘弁してほしいのではないだろうか。

だからこそ、議会制民主主義の世の中では、選挙というシステムがあるのだ。つまり、自分の代わりに、「熟議&決定」という作業をしてくれる人を選ぶのだ。で、ポピュラリズムが現れ出てくるのはこの局面である。選挙では票を集めねば負けるので、候補者とその戦隊、いや選対は人気取りに走る。わざと落選したくて出馬した人以外、必ずみんなポピュラーになろうとする。不人気では勝てないからだ。

そしてこの局面で、他の候補者より聞こえのいいことを言うと、人気取り（これがポピュラリズムだ）と批判される。例えば「あなたにもっと投資します」とか「あなたの生活を楽にします」とかいうことである。

が、この一般的図式が完全に崩れ去るのをわたしは昨年12月の英国総選挙の前に見た。反緊縮派（増税、財政支出削減に反対する立場）の労働党元党首コービンが750億ポンド（約10兆円）の財政投資を行って公営住宅を建てるプランを発表したり、ブロードバンド無料化、学校の一クラスあたりの生徒数の削減、公務員の賃上げなど、気前のよい政策を打ち出したのに、庶民は乗って来なかった。選挙前のポピュラリズムがなぜか効かなかったのだ。

他方でジョンソン首相も、俺は前任者のメイ首相とは違い、緊縮財政はやらないんだとばかりに財政拡大を約束した。しかし、総額で一年に29億ポンド（約3900億円）の財政支出追加の約束は、労働党に比べるとケタ違いにしょぼい。だが、どういうわけか絢爛豪華な労働党の政策ではなく、保守党のしょぼいヴァージョンのほうがずっとポピュラーで、北部や西部の労働党の牙城だった地域の人々すら保守党支持に回った。

奇妙な現象である。ポピュラリズムといえば、パンチの効いた派手な政策で大衆を喜ばせ、惹きつけるものだったはずだ。それなのに、なぜ見劣りのする縮小コピー版みたいな政策が人気を博したのか。

これは、断食でふらふらしている人にいきなりサーロイン・ステーキを食べさせても腹を下すが、梅干しだけのおかゆなら楽に消化できるのに似ている。

2010年代を通して厳しい緊縮財政政策を経験してきた英国の人々には、コービンの「ニュー・ディール」は栄養価が高すぎ、梅干しのほうが有難かったのである。そのため、人々は長いこと食べていないステーキを忌み嫌い、ステーキを食べたくないですかと人々に言うことは非人道的だと激怒した。そして対照的に、飢えた民衆に梅干しを与える道徳的な政治家としてジョンソン人気が上昇した。

これが緊縮マインドというものである。美味なものや楽な生活、幸福な暮らしを人々が忌み嫌い、そんなものは贅沢だと憎悪し、ハピネスは入手可能と主張する者を詐欺師と非難し全力で潰したくなるマインド。夢や希望を語る人々を「カネがないときにチャラチャラすんな」と黙らせ、「真面目にこの世に出生した事実を呪え」と土下座させたくなるマインド。

これは「ルサンチマン」とは異質なものだ。調子のいいことを言う人に熱狂する「ポピュラリズム」のようなかわいげのある感情でもない。もっと歪んで、ぬるっとした暗いもの。このぬめった空気のせいで、人々はスーサイダル・テンデンシー（そういや、昔こういう名前のハードコアのバンドがあった）に陥り、わざわざ自滅的な政治を選んでいないだろうか。

そもそも、ジョンソン首相が吹聴しているポスト・コロナのニュー・ディールとは、本家本元とはまるで違う。「ビルド、ビルド、ビルド」をスローガンにばんばんインフラ投資をやって景気をV字回復させると言っているが、ルーズベルト大統領のニュー・ディールはダムや道路や橋や全米にわたる住宅の建設事業だったのに対し、ジョンソン大統領の「ビルド」は学校のリフォームや橋の修繕の計画ではないかと英紙ガーディアンにおちょくられている。インフラ建設（修繕）への財政投資の金額にしても、本物のニュー・ディールは１９２９年の米国のＧＤＰの40％を注ぎ込んだのに対し、ジョンソン首相が前倒しで行うと言っているインフラ投資額の約50億ポンドは２０１９年の英国のＧＤＰの０・２％だ。

投資のスケールだけでない。ルーズベルト大統領とジョンソン首相のニュー・ディールには、決定的な違いがある。ルーズベルト政権はワグナー法（全国労働関係法）

の制定や全国労働関係委員会の設置などを行って労働組合の力を強めようとしたが、ジョンソン政権は相変わらず自由市場主義と民営化の「いつもの保守党」路線だ。

　これではサッチャーの顔写真を転写したケーキに「ニュー・ディール」って書いたチョコプレートが載ってるようなものだ。そして吝嗇政治は嫌だけどステーキは贅沢過ぎるとか、梅干しのほうが正義感があるとか言っている間に、どんどん労働者の権利が縮小され、そのうちすぐに「梅干し代を払え」と言われてコロナ増税されるに違いないのだ。

　先日、経済学者の松尾匡さんに聞いた話によれば、日本の現政権もポスト・コロナ経済の処方箋を「デジタル・ニューディール」とか呼んでいるらしい。ニュー・ディールという呼称にまでハイパー・インフレを起こさせようとするのは世界的な反ケインジアン組織の陰謀かとも思えてくるが、そうではない。与党が反緊縮派のアイディアを盗んでいるのだ。

　けれども盗人が使うのはスローガンだけなので、そんなものはいつものオールド・ディールだ。「新規まき直し」なんてほど遠く「生き延びる」だけの時代が続きそうだが、いや、誰も恨むまい。しょうがないのだ、人民が選んだのだから。いろんな国の人民が同じようなことをやってるんだから。ステーキを求めざる者、梅干しも得ず。

EU離脱、度重なるロックダウンで
ドライバーも不足。燃料供給にも影響が。
(写真：AP／アフロ)

2021

女の階級

映画『ミス・マルクス』（2021年9月日本公開）パンフレット

英国が舞台の本作『ミス・マルクス』を見ながら思い出した日本の小説がある。それは、『女の階級』というタイトルの吉屋（よしや）信子（のぶこ）の作品だ。吉屋信子といえば、大正から昭和にかけて活躍した少女小説の書き手で、『花物語』などで知られている。が、中期には『女の階級』のような社会批判をまじえた挑発的な小説を書いており、この作品は映画化もされた。「労働者階級」と「資本家階級」の前に、「女の階級」と「男の階級」があるではないか。吉屋信子が投げかけた問題は、『資本論』のマルクスの娘がまさに身をもって体験し、生涯闘うことを余儀なくされた真のバトル・グラウンドだった。

近年、女性の家庭内での無償のケア労働や感情労働の問題が話題になっているが、まさにそれと呼応するようなことを、本作でエリノア・マルクスも口にする場面がある。

「私は誰かの世話ばかり。父さん、母さん、姉さんの子ども。私自身のために生きる番よ」

だが、私自身を生きるために一緒になったパートナーのエドワードは、労働者階級のために闘うことはできても、女の階級の存在についてはまったく無知な男性だった。浮気、浪費と借金、プチ蒸発。苦労につぐ苦労をさせられながら、自分のもとに彼が戻って来るとエリノアは甲斐甲斐しく世話をしてしまう。

——女性は男性の支配下にあり、労働者が生産者としての権利を奪われているのと同じように、支配者が収奪を可能にする手段はいつも同じ。それは〝ねじ伏せ〟……。

ブツブツと女性労働者たちの前で行う演説の内容を呟きながら、不誠実で嘘ばかりつくエドワードを介抱するエリノアの姿に、見る者はこの関係が悲劇的な結末を迎えるしかないことを予感する。

なぜ女性はこうも男性をケアしてしまうのか。労働者が雇用主の顔色を窺って仕事をするように、家庭では女性が男性のことを常に慮る。この人は今、何がしたいのだろう、何処が痛いのだろう、どうすれば楽になってくれるだろうと。だが、人類学者のデヴィッド・グレーバーが生前書いたように、支配者は被支配者の顔色など窺わないし、慮ることもしない。する必要がないからだ。だから支配者たちはエンパシーに欠ける人間になり、被支配者の「顔色を窺う」習性がエンパシーと紙一重になり、

「忠誠心」や「愛」といった美談にすり替えられて搾取される。

社会主義フェミニズムのパイオニアと呼ばれるエリノアさえ、この罠と無縁でいられなかった。そしてそれを自分でもよく知っているからこそ、もがき、足掻き、苦しみ続けたのだ。

彼女の姿を見ながら、「クラス・ストラグル」を「階級闘争」と訳すことは果たして適当だろうかと思った。定訳になっているからそう訳しがちだが、「ストラグル」とは「何かをするために苦しみ、足掻く」というのが本来の意味だ。敵と闘い争うこととは違う。

エリノアは、自分自身が属さない「労働者階級」のためというより、自分が生まれ落ちた「女の階級」の理不尽を体験することで真の「ストラグル」を経験した。そしてこのことは、労働運動や社会運動に関わった女性の多くが一度は経験しただろう問題、すなわち「人間の平等」を目指しているはずの男性たちが、なぜ女性を無意識のうちに支配しようとするのか（または、その状況を見て見ぬふりをするのか）という根深い問題とも繋がっている。

階級闘争が、一つの権力を倒してもう一つの権力を打ち立てることなら、それは単なる権力闘争に過ぎない。しかし、実際に自分の階級のために「ストラグル」を経験する人々は、権力を握ることより、階級の概念そのものからブレイク・フリー（ぶち破り、自由になる）することを望むだろう。

だからこそ、憔悴したエリノアがラスト近くでパンクロックに我を忘れて踊るシーンが、いかに時代考証的におかしくても、説得力を持って迫ってくる。「もうやってられるか」という「女の階級」に溜まった凄まじいエネルギー。エリノアはただひたすらいまの状況を、つまり、自分自身を含めた、いまの自分を縛るものすべてをぶち破りたいのだ。

だけど激しく踊る彼女に気づかず、エドワードは眠り続ける。

なぜエリノアは彼を置いて出て行かなかったのだろう。「『人形の家』のノラは夫を捨てずに命を絶ったほうがロマンティックで受けただろう」と笑っていたエドワードの言葉がここで不気味に蘇る。

ラストシーンのエリノアは、瞳をきらきら輝かせていた少女時代の彼女だ。

マルクス家の人々や、マルクスの親友のエンゲルスに、「あなたの好きな格言とモットー」という質問を出して答えさせる。マルクスは「人間のすべてが私に関わる」と答え、エンゲルスは「気楽に」と答えた。

「私のは……、前へ進め」と少女エリノアは言う。才気煥発な娘の言葉に満足そうに微笑しているマルクスの顔が映し出される。だが、成長し、パンクロックで踊り狂ったエリノアなら、違う言葉を言ったのではないか。
「ぶち破れ」と。

計算ちがい

PANIC　2021年9月

コロナ禍のロックダウンが始まった時、多くの識者が懸念していたのは大量失業の時代の到来だった。

1980年代のサッチャー時代以降の失業率の高さを記録するかもしれないと予測した人々もいた。

しかし、コロナ禍による行動規制がほぼ全面的に解除され、人々が職場に戻ってみれば、英国を待ち受けていたのは全く正反対の問題だった。

働き手が足りないのである。求人数が、前代未聞の100万を超えているのだ。

勤労者の不足はコロナの自主隔離が原因なので、英国だけの問題ではない。米国やドイツ、フランス、スペインといった国々も同様の問題を抱えている。しかし、英国には勤労者不足の原因がもう一つある。EU離脱である。英国で働いていた欧州出身者が国外に流出しているのだ。

この状況は、政府が3度にわたって行ったロックダウンでさらに悪化した。周囲にも出身国に帰った欧州出身の移民たちがいる。出入国の規制が厳しくなると、帰省するのも難しくなり、家族に何かあってもそう簡単に国に戻れない。だから年老いた親を残してきた人や、いずれは国に帰るつもりだった人たちはコロナ禍をきっかけに英国を去った。２０１９年の第３四半期から２０２０年の同期までの1年間で、英国に住んでいた外国出身者のうち、約１３００万人が英国を出て行ったと概算されている。これは第2次世界大戦後、最大級の英国の人口減少になるという。

特に影響が見えてきているのが、大型トラックの運転手の不足だ。ガラガラになっているスーパーマーケットの棚がテレビのニュースに映し出されている。食料はあっても運び手がいないのである。サプライチェーンの問題で、英国のマクドナルドはミルクシェイクの販売を中止した。チキンの供給が追い付かず、ＫＦＣ（ケンタッキーフライドチキン）も一部メニューの販売を停止している。

ＥＵ残留派の運動家たちや、関連企業は、大型トラックの運転手に関する移民規制を緩和するよう政府に呼びかけている。受け入れ上限のない高技能者扱いにしなければ、国内での運転手確保は難しいというのだ。この状況が続けば、クリスマスには深刻な七面鳥不足が起こるという予想もすでに出ている。

コロナによる行動規制さえなくなれば生活は元通り、と政府は吹聴していたが、大いなる計算ちがいだったようだ。

コロナ禍と女性

PANIC　2021年10月

英国ケンブリッジ大学の女子カレッジ、マレー・エドワーズ・カレッジの学長が、子どもを産むことを忘れるなと学生たちに呼び掛けて物議を醸した。この女性学長は、キャリアの追求に夢中になり、気付いたら子どもが産めなくなっているようなことは避けるべきだと学生たちに話したという。

これにかみついたのが、ガーディアン紙の女性コラムニスト、ゾーイ・ウィリアムズだ。彼女は、このような考え方（女性はガラスの天井を打ち破ることに必死になって子どもが産めなくなってしまう）は1990年代的であり、もはや時代遅れだと言う。

英国の出生率は2000年には2だったが、昨年は1・53だった。出生率の低下が前述のような発言を引き出す原因になっているのは確かだが、ゾーイ・ウィリアムズは、過去20年間で社会状況はまったく変わったと言う。前世紀には、女性たちは自己実現のために子どもを産むか否かを迷ったかもしれない。しかし、今世紀の女性たちは、経済的理由で結婚や出産を遅らせている。つまり、家庭をつくるほどの収入が自分にもパートナーにもないので、たとえ子どもが欲しくても作れないのである。

英国の場合は、深刻な住宅危機の問題もある。手頃な家賃の民間の賃貸住宅や、公営住宅の不足のため、若い人々の収入のほとんどが家賃に吸い取られてしまっているのだ。

さらに、このパンデミックも女性たちを苦しい状況に追い込んだ。特にシングルマザーたちだ。英国のシングルペアレンツの90%が女性と言われているが、彼女たちは休校や自主隔離中の子どもの世話をするために仕事を休み、それが原因で収入が減ったり、職を失ったりしている。家からリモートワークできるオフィスワーカーはまだいいが、低賃金のサービス業やケア業務に携わっている女性たちほど、こうした傾向が顕著だ。

このようなコロナ禍の女性たちの惨状を見ている若い女性が、子どもを産もうという気になるだろうか。たとえコロナ禍が終わっても、非常時に政治が母親たちをサポートしないと知っていれば、女性たちはますます出産から遠ざかるだろう。

子どもを産むことを推奨するより、産める経済環境を整えることが最優先だ。どこの国も課題は同じなのである。必要なのは政治家たちの「他者の靴を履く」能力だ。地べたを歩く女性たちの靴を。

新旧ノーマル

PANIC　2021年11月

コロナ禍は「ニュー・ノーマル」という言葉を生み、人々の日常の中に新しい生活様式が生まれた。

通常の暮らしができなくなるロックダウン中は、それまでの生活のスタイルが不可能になる代わりに、新しい習慣（家で働く、ガーデニングを始める、パンを自分で焼く、エクササイズをするなど）を身に付ける人が増えたのだ。だが、ロックダウンが終わると、「ニュー・ノーマル」と「オールド・ノーマル」がせめぎ合う時が来る。

ロックダウン中に捨ててしまった習慣の中には、回復させないほうが好ましいものもある。例えば、ショッピングでの散財癖とか、パブやクラブでの大量飲酒などだ。

他方で、国の文化を支えてきた劇場や美術館、映画館、コンサート会場に足を運ぶ習慣は、今後もアートを支えていくために必要なものだ。インターネットでたいていのものが見られる時代になっても、この習慣だけは復活させた方がいい。

さらに、健康的なニュー・ノーマルは今後も継続した方がいい。例えば、英国では、厳格なロックダウン中も一日1回のエクササイズは許されていたので、サイクリングを始めた人が多く、これらの人々の多くは今後も移動手段として自転車を使うだろうと予想されている。これは健康だけでなく、環境のためにもプラスになる。

逆に問題になっているのは、ロックダウン中に家にいるからとペットを飼い始めた人々が、仕事に行かなくてはならなくなったためにペットを手放したり、捨てたりするケースが増えていることだ。

ロックダウン中に英国の家庭で飼われ始めたペットの数は、320万匹を超えるという。ところが現在、飼えなくなったと、ドッグ・レスキュー・センターに連れて来られる犬の数が史上最多になっているそうで、野良犬の数も急増している。この状況は、あと2年ぐらい続くのではないかと専門家は予想する。

面白いことに、それまでは悪いと言われていた習慣が実はそうでもなかったとコロナ禍中にわかった事例もある。例えば、ロックダウン中にコンピューターゲームをする人が増えたことは、メンタルヘルスに良い影響を与えたのではないかというオックスフォード大学の調査結果が発表されている。コロナ禍による新旧の「ノーマル」の取捨選択は今後も続きそうだ。

コロナと格差

PANIC 2021年12月

世論調査会社YouGovが27ヵ国で行った調査の結果、パンデミックでメンタルヘルスの問題に最も苦しめられたのは、18～24歳までの若年層であることが分かった。フランスでは若年層の47%がパンデミックのためにメンタルヘルスの調子を崩したと答えているが、55歳以上の層では25%になる。英国でも、前者が50%で後者が25%と、似た結果が出ており、イタリアでは59%と39%、ドイツでも38%と22%になっている。

また、国々のあいだの格差も浮き彫りになっており、パンデミックで個人的に経済的影響を被ったと答えた人々の割合は、フランスで27%、ドイツで24%、英国で22%になっているが、同じ欧州でもイタリアでは43%、スペインで40%、ギリシャでは50%にも上る。さらに欧州以外の国となると、ブラジルで54%、タイで68%、ケニアで75%とさらに高くなる。

これに比例するように、パンデミックのおかげで以前よりお金の心配が増えたと答えた人の割合は、ギリシャ、ブラジル、タイ、南アフリカなどで70％を超えているが、英国では31％、スウェーデンで24％、デンマークでは15％だ。

さらに、多くの国で女性たちの方が、パンデミックが始まってから仕事や経済的な問題でストレスを抱えるようになったと答えている。英国では55％の女性が仕事に関連するストレスを感じていると答え、男性では36％だった。スペインでは女性が60％、男性が42％になっている。

つまり、コロナ禍のロックダウンや経済不安の犠牲になっているのは、若者や女性、そして経済的に豊かでない国々だということになり、弱い層こそパンデミックの影響を色濃く受けているということになる。

コロナ禍が終わった後には、世代間やジェンダー間、そして富国と貧国の間の格差はさらに拡大しているだろうという現実が見えてくる。また、リモートワークが広まったことで生活様式が劇的に変わると言われていたが、パンデミックで郊外に引っ越したり、転職するなど、暮らしが大きく変わったと答えた人は先進諸国では10％未満にとどまった。コロナ禍でライフスタイルが変化した人はほんの一部だ。他方で格差はさらに広がったという肌寒い事実に政治はどう向き合うのか。

頼るのは自分という境地

「コロナ世代」若者の政治観

欧州季評　2021年12月9日

7月にロックダウンが全面解除され、ほぼ日常が戻ってきていた英国では、オミクロン株感染者が確認されたことを受け、また行動規制が始まるのかという暗いムードが漂っている。逆戻りする可能性への反発は強い。英国では、コロナ禍はもう終わったことになりつつあったからだ。実際、秋ごろまではパンデミックを総括する報道も出始めていた。

その中に、「コビッド・ジェネレーション（コロナ世代）」に聞き取りをしたガーディアン紙の記事があった。ロンドンやスコットランド、ウェールズなど、広範な地域に住む9歳から25歳までの9人が対象になっており、彼らは1年前にも同紙の調査に参加していた。感染が広がっていた西ヨークシャー州の22歳の青年はロックダウンが解除されると精力的に動き、就職を果たした。「家で働くのは僕の年齢の人々にはためにならない」という言葉が印象的だ。社会に出る年代の若者は、「適切な場所に適切なタイミングで居合わせる」ことでチャンスをつかむ必要があるからだ。

反対に、スコットランドの25歳の青年は、コロナ禍中に就職活動をしたが仕事を得ることができなかった。来年大学を卒業する弟には、早くも仕事のオファーが来ている。自分の年齢の若者たちは「コロナ世代」というよりも、「忘れられた世代」であり、自分たちが体験していることを理解している政党は一つもないので、みな疎外感を抱いていると語る。

＊

興味深いのは、複数の若者が、政治に関心を持つようになった、と言っていたことだ。ロンドンに住む17歳の少女は、大学で政治を学ぶことに決めたという。「どんな若い世代にも、政府は自分たちをサポートしなかったなどと感じてほしくないからです」と政治を志す理由を話している。

実は、これを裏付けるような光景を地元でも見たばかりだ。息子が来年9月からカレッジに通うので、今秋は地域のいくつかの学校を見学しに行った。昨年はロックダウン中だったので、今年は2年ぶりに中学高学年がカレッジを見に行くことを許された。なぜかどこでも政治の教室が盛況だったのが印象的だった。英国のカレッジでは生徒たちが自分で科目を選択するので、見学では各教科の教室に行って教員や現在の学生たちに話を聞く。どこのカレッジに行っても、科学や歴史、経済などに比べ、政治の教室は多くの見学者を集めていたのである。

「政治とは、一言でいえば権力に関することです。誰が権力を持っているか、どう権力を使っているか、どのように分散されているか」

見学者の中学生たちの前で、そう熱弁をふるっていた教員にたずねてみた。

「毎年、こんなに政治は人気があるんですか？」

彼女はきっぱりと答えた。

「こんなのは初めてです。例年は人も来なくて静かなのですが」

「どうしてなんでしょうね」

「コロナ禍を経たからだと思います。2年前まではこんなことはありませんでしたから。休校や入試方法の変更など、これほど10代の子どもたちが政治に未来を左右された時期はありません。だから政治について考えるようになったのでしょう」

あるカレッジでは、ホワイトボード上で保守党と労働党の人気投票が行われていた。見学者の中学生たちが、支持する党の党首（ボリス・ジョンソン氏とキア・スターマー氏）の写真の下にマグネットを付けるようになっている。だが、保守党支持の青いマグネットは2つしかなく、労働党の赤いマグネットも4つしかなかった。あまりこの投票に参加する中学生はいないのかなと思っていると、下のほうに「自分自身の党」と誰かがマーカーで書いていた。そして、その字の周辺には20を超えるマグネットが付けてあったのである。それは文字通りに自分で政党をつくるという意味かもしれないが、「特定の政党に追従しない、自分自身を核に置いて政治を考える」という宣言とも取れる。

＊

6年前、「Mr.マルクス主義者」と呼ばれたジェレミー・コービン前党首に心酔した若者たちがこぞって労働党に入党して大人たちを驚かせた。「ゆりかごから墓場まで」と呼ばれた福祉国家だった時代の英国の礎を築いたアトリー政権を参考にしていたコービン党首は、「時代錯誤の極左」とも批判されたが、年長世代の犠牲になっている意識が強い当時の20代には熱く支持された。しかし結局、その若者たちの多くは、醜い党内対立と権力争いに巻き込まれ、幻滅させられることになったのだった。

こうした失望と失敗を踏まえて、コロナ禍に未来を左右された10代は、もはや「カリスマティックな指導者や政党に何とかしてもらう」のではなく、「自分自身でやってやる」という境地に達しているのではないか。安直に「無政府主義」と理解されてきたアナキズムが、自治と協働の思想として見直されていることとも無関係ではないだろう。

在位70年のエリザベス女王死去。
9月19日、ウェストミンスター寺院で国葬。
(写真：代表撮影／ロイター／アフロ)

2022

禍（わざわい）は格差に帰結し、格差を食べて延命する

図書新聞　二〇二二年一月一日

欧州大陸は年末から感染拡大に見舞われ、再ロックダウンに突入した国もある。オミクロン株感染拡大への懸念から、英国でも「またロックダウンになるのでは」という不安が広がり、さながら「Covid 19リターンズ」という感じだ。

YouGov—ケンブリッジ・グローバリズム・プロジェクトが27ヵ国を対象に行った調査によれば、長引くコロナ禍を原因として、18歳から24歳までの若年層が、年長の世代よりも経済的、そしてメンタルヘルス上の懸念を強く感じていることが明らかになった。英国では、18歳から24歳までの年齢層の調査対象者の50％が、コロナ禍がメンタルヘルスに悪影響を与えたと答えているが、55歳以上では25％に留まる。イタリアでは前者が59％、後者が39％、スウェーデンでも前者が42％、後者が19％だ。

また、女性のほうがコロナ禍によって、経済的不安やメンタルヘルスの問題、仕事によるストレスを抱えるようになったこともわかった。英国では女性の55％が仕事でストレスを抱えるようになったと答えているが、男性は36％であり、スペインでは前

者が60%、後者が42%だ。

さらに国々のあいだの格差も浮き彫りになっている。パンデミックのせいで経済的に打撃を受けたと答えた人は、英国では22%、ドイツで24%、フランスで27%になっているが、欧州南部や東部の国々では数字が上がる。スペインでは40%、イタリアで43%、ギリシャで50%となり、ハンガリーでも46%、ポーランドで38%だ。欧州の外の国となるともっと数字が高くなる。ブラジルでは54%、タイで68%、南アフリカで59%、ケニアでは75%の人々がコロナ禍で経済的に苦しくなったと答えている。

YouGov―ケンブリッジ・グローバリズム・プロジェクトの調査結果でとりわけ興味深いのは、メディアや識者が予想していた「パンデミックによるライフスタイルの変化」は本当に起きたのかという調査だ。リモートワークが「新しい日常」になれば都会であくせく働く時代は終わり、ワークライフバランスが見直されるという見方があったが、本当にパンデミックでライフスタイルが変化したと答えた人は、欧州や英国を母国語とする西側諸国ではほんの少数に留まった。パンデミックを契機に国内の違う地域に引っ越したと答えた人は、フランスとドイツとカナダでそれぞれ7%、英国とデンマークで4%、オーストラリアが8%、ハンガリーが5%、ポーランドで6%だ。これらの国々では、都会から脱出して田園地帯からリモートワークする「働き方改革」ができた身分の人々は実は1割にも満たず、9割の人々はパンデミック前と暮らしぶりは変わっていないのである。

他方、西側諸国以外の国々では、パンデミックを契機に転職したという人の割合が大きい。南アフリカで21％、ケニアで20％、タイで19％、ブラジルでも22％になっている。これらの国々では、パンデミックを契機として配偶者やパートナーと離れて暮らすようになったと答えた人々の割合も高く、パンデミックで職を失ったり、生活が立ち行かなくなったために単身で出稼ぎをするようになった人が増えたのである。つまり、これらの国々の人々に起きている生活や仕事の変化は、西側諸国のような「働き方改革」のための優雅なライフスタイルの変化ではなく、食べていけなくなって仕事があるところに移動したり、転職したりしているのだ。

＊

オミクロン株が貧しい国々から現れ、裕福な国々を脅かしたのは自明の理である、という論考を英紙ガーディアンに投稿したのはゴードン・ブラウンだ。若いセレブ首相というイメージがあったトニー・ブレアとデヴィッド・キャメロンの二人に挟まれて印象が薄くなってしまったが、ブラウンは２００７年から２０１０年まで英国首相を務めた人物だ。現在はＷＨＯのグローバル・ヘルス・ファイナンシング大使を務めている。ブレア政権時代に長年にわたって財務大臣を務めたブラウンは、発展途上国の人々にワクチンを譲らない先進国の思慮の浅さと強欲さをなくさなければ、パンデミックは来年以降も長く続く可能性があると警鐘を鳴らしている。

WHOは2021年末までに全ての国で人口の40％がワクチンを接種済みの状況にするという目標をたてた。しかし、11月末の時点で、ジンバブエでは国民の25％が1回目のワクチンを終えたに過ぎず、2回接種を終えた人々は19％だ。ナミビアでは数字はさらに下がる。1回目のワクチン接種を終えているのは人口の14％で、2回目も接種した人々は12％だ。

南アフリカでは接種率が27％だが、田舎ではまだ1桁台の接種率であることが多く、このようなアフリカ大陸での接種の遅れは「EUのネオコロニアニズム」のせいだと批判されている。欧州とアフリカのワクチン接種率の差が広がる中で、EUは南アフリカの工場で作られているジョンソン＆ジョンソン製のワクチンさえ欧州大陸に送らせようとしていたのである。

6月に英国コーンウォール州で行われたG7サミットと、9月に米国のバイデン大統領が主催したオンライン新型コロナサミットの結果、各国首脳は、余剰ワクチンを低所得国に提供することで合意し、それぞれが提供するワクチンの本数を発表した。しかし、11月末の時点で、米国は約束した本数の25％しか提供しておらず、EUになるとさらに低い19％。英国も11％、カナダも5％しか提供していない。このため、低所得国のワクチン接種完了者の平均は11月末の時点で3％に過ぎず、高所得国と高中位所得国では60％を超えている。

貧国と富国のワクチン接種格差を放置していると、世界のコロナ感染者数は現在までの2億6千万人からさらに2億人増大するとWHOは予測する。これまでの死者数500万人に加え、来年、さらにその後に、同じぐらいの死者数が出る可能性もあるというのだ。いくらリッチな国々の人々だけがワクチンを接種したところでどうしようもない。グローバルな脅威はグローバルに取り組まなければ、忘れた頃にまた「リターン」する。グローバリズムは単なる経済用語ではなく、それ以上のものにならなければならないのだ。

＊

「ものすごい富者とものすごい貧者がいるのは、競争社会では当たり前」的な不平等の正当化は、蔓延するメリトクラシーの産物だった。「資本主義リアリズム」ならぬ、「能力主義リアリズム」である。

だが、「『貧者のために』なんていうのはお花畑な発想」と言っていればリアリストと思われた時代は、もはや終わりつつある。なぜなら、やっぱ貧しい国や貧しい人たちのことを考えないとパンデミックひとつ終わらないよね、という事実に英国の人々は気づいたからだ。マスク着用もソーシャルディスタンシングも過去の話になっていた国だからこそ、再び不自由な生活に逆戻りすることへの反発は大きい。「もう行動規制は勘弁して」の声も上がっているが、「途上国にワクチンを送れ」という声が日に日にボリュームを増している。自分たちファースト、というこれまでは「リアル」とされた考え方こそ、パンデミックにおいては愚かな発想であり、それで乗り切れると思っているほうがよっぽどお花畑だったとわかったからだ。

ＩＭＦが「格差が広がると経済成長しなくなる」と警告する報告書を発表したのは7年前のことだった。その通りにみんなどんどん貧乏になってるのに、それでもまだわからんなら、今度は疫病を流行させちゃる、みたいなことをウイルスが考えているはずもないが、そんなことを想像してしまうほど、パンデミックは格差に帰結し、格差を食べて延命する。

これでも人類がわからなかったら、次は何なのか。われわれは命あるうちに、「これまで通りでまだいける」のお花畑をやめなければいけない。ゲット・リアル。

無給のケアラー

PANIC　2022年1月

　英国の慈善団体、ケアラーズ・トラストによれば、現在、英国には約1360万人の無給のケアラーがいるそうだ。無給のケアラーとは、介護などのケア労働を有給の職業として行う人々とは違い、家庭で無償のケアを引き受けている人たちだ。前述の数字の中には、コロナ禍中に家族や友人のケアを行うようになった人々、約540万人も含まれるという。

　誰かのケアのためにフルタイムで働けない人々は、政府に週に約68ポンド（約1万600円）の「ケアラー手当」を請求できる。だが、この手当は、週に128ポンド（約2万円）以上の収入があると受給できない。さらにフルタイムで教育を受けている人も受給できないことになっている。このため、英国では100万人以上の無給のケアラーたちが貧困に落ちているという。物価の上昇、公的なケア部門のサービスの縮小、パンデミックでケアの必要な人々が増えたことがその大きな要因であり、このままでは無給のケアラーの状況は悪化の一路をたどると予想されている。

Ｓｋｙニュースがこの話題を大きく取り上げ、複数の無給のケアラーにインタビューしていた。自閉症とその他のメンタルヘルスの問題で地域の小学校に受け入れられなかった子どもを家庭でケアしている母親の例は深刻だった。彼女は一日中、子どもを見ていないといけないので、まったく働くことができない。政府から受け取る手当や補助金では生活できず、フラットを契約するとき保証人になっていた親までコロナ禍で失職した。おかげでホームレスになった経験もあるという。

障碍者である母親をケアしている高校生の例も悲惨だ。いわゆる「ヤング・ケアラー」の問題は、近年、彼らが精神的に受ける傷の方面から話題になることが多いが、この高校生の場合は、経済的な貧困にも苦しんでいる。フルタイムの教育を受けているティーンが家族のケアをしていても、「ケアラー手当」がもらえない。その支給を受けられるよう学校をやめた方がいいのでは、と教育を断念することも考えているそうだ。

「ケア」という言葉が思想の最前線に躍り出て久しい。そろそろ無給のケアラーが果たしてきた経済的貢献や、こうした人々の報酬についても考えるときが来ている。これはベーシック・インカムを考えるときに欠かせない視点にもなる。

トリアノン官邸

PANIC　2022年2月

1774年、フランス国王ルイ16世は、王妃マリー・アントワネットにプチ・トリアノンと呼ばれる小宮殿を与えた。王妃にとって、それは堅苦しい宮殿生活や国王の妃としての重圧から逃れる場所になり、ロココ様式の最高峰と呼ばれる美しい内装の小宮殿で少数のお気に入りの人々に囲まれて過ごすようになる。

小宮殿の周辺を、自然そのままの景観を生かした英国式庭園につくり替え、当時流行していた田舎風のテイストを生活に取り入れたアントワネットは、だんだん世情に疎くなり、浮世離れした存在になっていく。彼女の無駄遣いや浪費癖は以前から悪評高かったが、ぜいたくな調度品に囲まれて暮らす王妃が農村の暮らしのまね事をしているという事実は、貧しい農民たちの怒りをかき立てた。

こうして庶民の敵と見なされるようになった王妃は、フランス革命時に公費乱用や背徳行為などの罪に問われ、処刑された。

最近、このマリー・アントワネットを髣髴(ほうふつ)とさせる存在になってきたと言われているのが、英国首相のボリス・ジョンソンである。過去2年間、国民には複数回のロックダウンを強いてきたくせに、自分はそのさなかに官邸でパーティーを行っていたことが次々と明らかになっているからだ。5月にも官邸の庭で、ワインとチーズをふるまうパーティーが行われ、クリスマスパーティー、首相の誕生会など、ロックダウン中に10回以上もパーティーが開かれていたことが判明し、人々の怒りの声を受けてようやく警察が捜査に乗り出した。

別世帯の人と集まることを国民には厳格に禁じておいて、官邸だけはそのルールの外にあるかのような振る舞いは、小宮殿に閉じこもって、そこだけは別世界であるかのように牧歌的な暮らしを楽しんでいたフランスの王妃のようだ。首相の誕生会には官邸上階にある首相の住居部分の改装を担当したインテリアデザイナーも招かれていたそうだが、上階の内装がまさにロココ様式を意識したものだという。

庶民の生活への想像力を持たない王妃をフランスの国民は許さなかった。英首相の政治生命も秒読みに入っている。

ギグと自転車

PANIC　２０２２年３月

　むかしの英国を舞台にしたドラマや映画には、失業した登場人物が、自転車に乗って「仕事を探しに行ってくる」と出て行くシーンがよくあった。その舞台は貧しい炭鉱町であったり、ロンドン東部の下町だったりした。

　しかし、21世紀のいま、ドラマや映画と似たようなシーンが現実で見られるようになった。まるでデジャヴである。２０２２年の失業者は、まずアプリに登録し、自転車に乗って出て行く。そうした人々は、仕事を探すために自転車を使うのではない。仕事をするための道具が自転車なのである。

　コロナ禍が始まって以来、手っ取り早くお金を稼ぐ方法として、ウーバーイーツやデリバルーなどの配達員になる人が激増した。「とにかく食いっぱぐれがないように、自転車だけは持っておけ」とすら言われる時代である。

　この配達代行の仕事は、いわゆるギグ・ワークだ。ギグというのは、日本で言うところの「ライブ」と同じ意味であり、ミュージシャンたちがパブやホールで行うギグのように、「あるときはあるが、ないときはない」仕事だ。

また、ギグに客が何人集まるかでミュージシャンの報酬が決まるように、ギグ・ワークと呼ばれる仕事にも最低限保障される勤務時間や賃金というものがない。ミュージシャンはギター1本、配達代行員は自転車1台で、いろんなところに移動し、自己責任で仕事を果たす。

自由度の高い仕事ではあるので、他に仕事がある人や学生などの副業にはいいかもしれないが、これで生計を立てようと思うと大変だ。そもそも、安定した仕事ではないし、単価も低く、雇用契約が存在しないので『雇用法』で保護されない。

英国の最高裁は、昨年2月にウーバーの運転手は「従業員」と見なされるべきとし、最低賃金や有給休暇が認められるべきだという判断を下した。しかし、ウーバーイーツにはこの判断が適用されていない。自動車を運転する人と、自転車で食事を運ぶ人のどこに差があるのかという議論が高まっている。なぜなら、後者こそがコロナ禍中に自主隔離していた人々や、基礎疾患を持つ人々の食生活を支える仕事をした人たちだったからだ。

彼らもまた、自転車に乗ったエッセンシャル・ワーカーだ。その認識が社会に広がるか否かが、ギグ・ワーカー全体の労働条件改善を進める鍵になる。

戦車走るまで動かぬ英国

あふれるロシアの闇資金

欧州季評　2022年3月10日

英国に住んで四半世紀になる。今日までいろんなものを見てきた。ブレア政権がイラク戦争へ参戦したときには空爆や英軍兵士の写真で新聞紙面が埋め尽くされた。2015年に英軍がシリアを初空爆したときには「キャメロンの戦争」の見出しが躍った。保育士の仕事をしていた頃、「英軍兵の友人がアフガニスタンで亡くなった」と泣いていた同僚がいた。英軍兵の棺が、ユニオンジャックの旗で包まれ、ガラスの箱のような葬儀用馬車に入れられて道路をゆっくりと進んでいく様子を、道の両側に立った人々が胸に手をあてて見送る光景を見たこともある。戦争をする国に生きていると、それがまた起きたときに既視感を覚える。既視感は危険だ。慣れてはいけないものへの慣れと無力感につながるからである。

ロシアのウクライナ侵攻で、英国内でも怒りが湧き上がっている。だが英国は、ロシアの富豪の資金洗浄のハブと呼ばれてきた国だ。2020年に発表された英国内務省の報告書にも「英国経済を通したロシアの、あるいはロシア関連の違法な資金の大量な流れ」は続いていると記されていた。

ＮＧＯトランスペアレンシー・インターナショナルの分析によれば、汚職で告発されたり、プーチン政権とのつながりを指摘されたりしたロシア人の英国内の所有資産は約15億ポンドにのぼる。２０１４年時点で15万人のロシア人が住んでいると報じられていたロンドンは「テムズ川のほとりのモスクワ」と呼ばれてきた。英国には「ゴールデン・ビザ」とも呼ばれる投資家向けのビザ制度が存在し、英国企業や英国債などに２００万ポンド（約３億１０００万円）を投資すればビザが与えられ、５年後には永住権が与えられた。投資額が５００万ポンドなら３年後、１０００万ポンドなら２年後に永住権が獲得できた。が、ロシアとウクライナの緊張が高まった２月中旬、英政府は「英国の人々の期待に応えず、腐敗したエリートたちに英国にアクセスする機会を与えた」としてこのビザ制度を廃止している。

＊

ロシアの富豪たちの英国政治への影響力も取り沙汰されるようになっていた。２０２０年には、与党・保守党に１７０万ポンドの献金をしたロシア人女性の夫がプーチン大統領のもとで財務副大臣を務めた人物だったとわかりスキャンダルになった。この女性はメイ首相（当時）と会食したり、ロンドン市長だった頃のジョンソン首相とテニスをしたりしていた。

ジャーナリストのニック・コーエン氏は、英国ではロシアに関する真実を伝えることが困難になっていたとガーディアン紙に書いている。ロシアのマネーパワーは、英国の言論の自由さえ脅かしていたというのだ。政権による圧力があるわけでも、権力者からの脅しがあるわけでもない。訴えられたら大変なことになるのでメディア側に自主規制が働いていたからだと彼は言う。もちろん、英国の判事たちがロシアの富豪に買収されているわけではない。そうではなく、富豪に訴えられると莫大な裁判費用がかかるので、リスクを冒さなくなっていたのだ。例えば、ジャーナリストのキャサリン・ベルトン氏がプーチン氏とその周辺の人々の闇の部分を明かした『Putin's People』が出版された時、ロマン・アブラモビッチ氏ほか数人のロシアの富豪らに訴えられたため、版元のハーパーコリンズは150万ポンドの裁判費用を支払ったという。よっぽどのベストセラーになる確証でもなければ、払いたくない額だろう。

＊

ロシアの富豪たちのおかげで英国の一部の弁護士たちは懐を肥やしてきた。政治家もサッカー選手も不動産業者も投資銀行家もギャラリーのオーナーも同様だ。慣れというものは恐ろしいもので、そのうち「汚れた金でも、ないよりはまし」という態度が蔓延し、批判すればお高くとまった理想主義者と言われるようになった。EU離脱とパンデミックで先行き不安な経済に対する悲観的見方が、「しかたがない」という無力感にもつながった。

だが、慣れと無力感にまひしているうちに、遠くで戦車が走り出していた。ジョンソン首相は米紙ニューヨーク・タイムズへの寄稿の中で、「ロシアへの経済的圧力を最大化しなければならない」と書いた。まるで英国が経済制裁の先頭に立っているかのような勇ましい口ぶりだ。

すでに2018年には英国下院外交委員会が報告書を公表し、ロシアの領土的野心に歯止めをかける方法は、プーチン政権が英国をはじめとする海外で行っている資金洗浄を阻止することだと訴えていた。下院外交委員長は、今年1月にもロンドンにあふれるロシアの闇資金が英国の安全保障上の脅威になっていると発言した。それが英国のみならず、世界の安全保障上の脅威になっていたとしたら、それを放置してきた英政府の責任はどうなるのだろう。

ようやく3月初めに、英国資産を通じた外国所有者による資金洗浄を困難にする法案が英国議会に提出された。戦車が走り出すと急に物事が動く。だがそれは、裏を返せば戦車が走るまで何もしなかったことの証左でもあるのだ。

不動産の解放

PANIC　2022年4月

3月中旬、ロンドン中心部にあるロシア人のオレグ・デリパスカ氏所有の邸宅が抗議者たちに占拠された。氏は、「オリガルヒ」と呼ばれる新興財閥の一人で、その資産は23億ポンド（約3500億円）と言われている。氏はロシア政府およびプーチン大統領と密接な関係にあるという。

こうした占拠運動は、英国在住者ならよく知っている光景だ。抗議者たちが、ターゲットに選んだ建物のバルコニーによじ登り、そこに運動のスローガンが書かれたバナーや旗を掲げるのだ。デリパスカ氏所有の邸宅のバルコニーに座り込んだ抗議者たちも、「この物件は解放された」と書かれたバナーを下げ、ウクライナの国旗を掲げていた。

抗議者たちは警察に包囲されて逮捕されたのだが、その警察の数の多さが英国では話題になった。

「必要なときにまったく来ないロンドンの警察が、オリガルヒの家となるとわんさかやって来る」とお笑いのネタにしていたコメディアンもいたほどだ。

実際、ほんの数人の抗議者たちを逮捕するため、かけつけた警察の車両の数を写真で見ただけでバカバカしい気分になってくる。ガーディアン紙によれば、警察のバンが8台、パトカーが2台。それに加え、バルコニーから抗議者たちを降ろすため、フォークリフトまで出動している。防護マスクを着け防弾盾を手にした大勢の警官たちが整列して邸宅の中に入っていく映像は、特殊部隊のように物々しかった。警官不足のためにナイフ犯罪や窃盗事件が急増しているロンドン南部の人々が見たら、同じ国の警察がやっていることとは思えないだろう。

占拠された邸宅は時価5000万ポンドで、所有者は住んでおらず、親族の誰かが居住しているそうだ。ロンドンでは、誰が居住しているのかわからない大邸宅が、ロシアの富豪の所有であることが多いらしい。占拠された邸宅がある超高級住宅街は「オリガルヒ地区」とやゆされ、無人の邸宅が多いことで知られている。

こうした無人の邸宅にウクライナからの難民を住まわせたらという声も上がっている。オリガルヒの資産を凍結するだけでなく、彼らから凍結された不動産を解放するべきだ。

女性の命と格差

ＰＡＮＩＣ　２０２２年5月

21世紀に入り、先進国の人々の経済格差の拡大が問題視されてきた。そして最近、イングランドで恐るべき調査結果が判明して話題になっている。

イングランドの最も裕福な地域に住む女性の寿命はＯＥＣＤ加盟国のほとんどの国より長いのに、最も貧しい地域に住む女性の寿命はメキシコを除くどの国よりも短いと分かったのだ。このデータは、英紙ガーディアンが発表したもので、２０１８年のＯＥＣＤ加盟国（38ヵ国）の女性の平均寿命と、２０１７〜２０１９年のイングランドの女性の平均寿命を比較している。

イングランドにウェールズ、スコットランド、北アイルランドを加えた英国全体の女性の平均寿命は、ＯＥＣＤ加盟国中、25位になり、イングランド単独では24位だ。ところが、イングランドの10％にあたる最も裕福な地域の女性の寿命となると、１位の日本（87・３歳）に次いで2位（86・４歳）だ。そしてイングランドの10％の最も貧しい地域の女性の寿命（78・７歳）は、最下位のメキシコ（77・９歳）の１つ上の順位になり、コロンビアやラトビア、ハンガリーの女性の平均寿命より低かった。

コロナ禍やウクライナ情勢、EU離脱の影響で、英国は深刻なコスト・オブ・リビング・クライシス（生活費危機）と呼ばれる状況に直面しており、光熱費の高騰と急激な物価高による貧困の悪化への懸念が広がっている。女性の寿命格差は今後さらに広がることが予想され、知識人たちも警鐘を鳴らしている。貧困地域の女性たちが裕福な女性たちのように長く生きられない理由は、安定した仕事と収入の不足、住環境の劣悪さ、質の高い教育を受ける機会の欠如などが挙げられている。さらに、女性は子どもや高齢者などを無償でケアするために働く時間を短縮されることが多く、そのために収入が減り、貯金や年金支給額も少なくなる。女性平等党のマンドゥ・リードは、「男性だけを基準にした経済のために、女性が犠牲になっています」と語っている。

ところで、今回のデータでイングランドと比較された国々の女性たちの寿命はそれぞれの国全体の平均であり、例えばOECD加盟国中1位の日本でも英国と同様の寿命の分析はなされているだろうかと思う。国内における寿命格差の問題を抱えているのは、英国だけであろうはずがない。

コントロール

ＰＡＮＩＣ　２０２２年６月

「TAKE BACK CONTROL（コントロールを取り戻せ）」。これは英国でＥＵ離脱を巡る投票が行われたとき、離脱派のキャンペーン・スローガンとして使われた言葉だった。ＥＵから離脱して主権を取り戻し、自分たちの国のことは自分たちでコントロールできる力を取り戻す、という文脈で離脱派が使った言葉だが、今またこの表現が新聞の見出しに躍るようになっている。

もちろんＥＵからのコントロールの奪還ではない。それはもうやった。そしてそのことが物価上昇の原因となり、家計を直撃している。もちろんコロナ禍とウクライナ侵攻という、予測不能な事態の影響もあるとはいえ、政府のコスト・オブ・リビング・クライシス対策は後手後手に回り、深刻な貧困に陥る人々が増えている。

5月10日にガーディアン紙が発表した調査結果でも、政府のコスト・オブ・リビング・クライシスへの対応に不安を感じている人は66％に上る。安心していると答えた人は15％にも満たない。

もう政府は信頼できない。そんな思いから、地域社会で草の根の「TAKE BACK CONTROL」の動きが広がっている。行政からの指示待ちや、政策案が提出されて承認されるのを待っているのではもう間に合わない。地べたのわれわれがコントロールを取り戻し、自分たちの手で地域を回していく、という姿勢で立ち上がり、協働する人々が増えている。共同体主導の組織が、小売店で売れ残ったり、製造者が生産し過ぎたりした商品を集めてバーゲン価格で販売するスーパーマーケットを作ったケースもある。フードバンク利用には偏見もあり、自分より困った人たちがいるから、と遠慮して使わない人々もいる。だが、激安の値段で食品の販売を行えば、貧困の状況にある人々が躊躇せずに利用できる。ブリストルの公営住宅地で立ち上がったアンビション・ローレンス・ウエストン・チャリティは、英国で最も高さのある風力タービンを建設するために400万ポンド（約6億5000万円）の資金を獲得したという。これは光熱費の高騰による「エネルギー貧困」から地元の人々を救済するためだ。

以前とは違う文脈で「コントロールを取り戻せ」がささやかれる背景には、自治の思想としてのアナキズムの復権がある。これまでと違うムードが草の根にある。

庶民だけ大恐慌

PANIC　2022年7月

　わたしは英国の元公営住宅地に住んでいる。元、が付くのはサッチャー政権の時代に住民に払い下げされた公営住宅の町なので、現在は持ち家として買って住んでいる人々がほとんどだからだ。しかし、いまでも公営住宅として賃貸されている物件も残っていて、そのせいだろう、他の地区に比べるとまだ、英国の労働者階級特有のコミュニティ・スピリットが残っている。そんな町に、異変が起きている。家の前に玩具や本を置く人が増えているのだ。

　もともと、英国の田舎には、不要なものを家の前に置いておく慣習がある。「持って行ってください」と書かれた札が立てられ、古いマットレスとか椅子とか花瓶とか、春の大掃除の時期になると（英国では大掃除は春だ。冬は暗くて家の中がよく見えないからだろう）、玄関先に並べている家がよくある。

　それが、最近、いっせいにどの家もやり始めたというか、色とりどりの物体を家の前に置き始めた。中には、雨が降っても大丈夫なようにテントを張って、その下にテーブルを置き、きれいに玩具や本、ベビー服などをディスプレーしている家もある。

どうしたのかと思って近所のおばあちゃんに聞いてみると、ある若い女性が始めた運動だそうで、コスト・オブ・リビング・クライシスで困窮する家庭が増えているので、子ども向けの物品を家の前に並べ、必要な人が持っていけるようにしようと隣近所の家に呼び掛けたところ、あっと言う間にストリート全体に広がったそうだ。「こんなストリートを見るのは、何十年ぶりだろう」とおばあちゃんは言った。おばあちゃんは家に子どもがいないので、スーパーから新品の玩具を買ってきて並べている。

ストリートが何十年ぶりにこんな様子になっているのは、何十年ぶりの恐慌だからだ。だってコスト・オブ・リビング・クライシスとは、庶民側だけが体験する大恐慌のことである。英国には生活保護受給中で手取り年収が7400ポンド（約122万円）以下の家庭を対象とした給食費無償制度があるが、いまやイングランド全体で22・5％、つまりほぼ4人に1人の公立校の児童がこの制度を受けている。4年前の13・6％からすさまじい上昇の仕方だ。女王のプラチナ・ジュビリーの華やかな行事やパレードでは隠蔽（いんぺい）できない英国の現実がここにある。

与党は鈍感、野党は傍観

食べられないほどの貧困

欧州季評　2022年7月14日

それは5月に英国のジョンソン首相がテレビ番組『グッド・モーニング・ブリテン』に出演し、インタビューを受けたときのことだった。

女性司会者が、77歳のエルシーさんという年金生活者の女性について話した。エルシーさんは夫を亡くして公営住宅に一人で住んでいる。光熱費は月に17ポンド（約2800円）だったが、85ポンド（約1万4000円）に上がった。倹約を迫られた彼女は、一日一食にすることにした。スーパーでは消費期限当日の特売品を買っている。高齢者はバスの無料パスがあるので、光熱費の節約のために、朝早くから一日中バスに乗っている。

「ほかにエルシーは何を節約すべきでしょうか」

鋭い目つきで女性司会者がジョンソン首相に問うた。

「私はエルシーに何も節約してほしくありません」と答えた首相は、その後でなぜか誇らしげに言った。

「申し上げておきたいのですが、（ロンドン市長の時代に）24時間の無料パスを導入したのは私です」

司会者は表情を凍らせて言った。

「ああ、素晴らしい。では、エルシーはバスの無料パスをくれたあなたに感謝すべきなのですか？」

これは光熱費の高騰と物価高による「コスト・オブ・リビング・クライシス」を象徴する出来事として世論を沸かせた。一日中バスに座っている「エルシー」の名は、「ヒート・オア・イート（暖房か食事か、どちらかを選ばねばならないほどの生活苦）」の時代の困窮者の代名詞となり、首相の的外れな反応は、人々の生活苦に対する理解の欠如を露呈した。彼が辞任に追い込まれた背景には、このような態度への国民の反感もあったのだ。

*

コスト・オブ・リビング・クライシスと言えば新しい現象のように聞こえるが、要するにそれは貧困のことだ。英国に貧困禍が広がっているのである。例えば、英国では貧困家庭の児童は公立校の給食が無償になるが、いまやイングランド北東部では公立校に通う子どもたちの約3人に1人がその対象。イングランド全体でも22・5％の子どもたちが対象となり、4年前の13・6％から著しく上昇している。

チャリティー団体のザ・フード・ファンデーションが発表したデータによれば、今年4月には約730万人の英国の成人が、過去1ヵ月間に食事をしなかったり、手に入れられなかったりしたことがあったと答えている。この数字は1月の470万人から大幅に増加している。

ほんの一部にしか存在しないと思われていた「食べられないほどの貧困」が、これまでとは違う規模で広がっている。貧困が広がれば、消費が落ち、税収が減る。消費が落ちれば物が売れなくなり、企業業績が悪化する。税収が減れば年金も減らされるかもしれない。幸運な1％の富裕層なら話は別だが、99％に属している人間はあまねくその影響を受ける。もはや貧困対策は人助けではない。自分自身を助けることなのだ。

労働者たちは物価上昇に見合う賃金を求めて行動を始めた。6月には過去30年間で最大規模の鉄道ストライキが行われた。教員やNHS（国民保健サービス）の組合も賃上げ交渉次第ではストの可能性を示唆している。一斉にストが行われたら、伝説的な1926年のゼネラル・ストライキの再現になるという声もある。

与党がこうした動きに反対するのはわかる。だが、労働組合を母体とするはずの労働党まで今回のストライキからは距離を置いている。スターマー党首は、鉄道ストライキに関与しないよう閣僚たちに呼びかけ、影の外務大臣デヴィッド・ラミー氏は

「政権を担おうとしている真剣な政党は、おおっぴらにストを支持することはしない」と言い物議を醸した。しかし、労働党議員の中には党首の方針に不満を表す者もいて、プラカードを手にした鉄道労働者たちと共に立っている写真を、ツイッターに投稿している議員もいた。

*

鉄道や学校や病院の職員がストを行えば日常生活に支障が出るので、支持を表明すれば有権者から嫌われるという考え方はある。が、そうとも言いきれなくなってきているようだ。鉄道ストでも、世論調査では一般の支持と不支持の数が拮抗していた。特に、55歳以上の世代では不支持が多いが、34歳以下の若い世代では支持のほうが圧倒的に多い。また、約半数の英国の人々が、ＮＨＳの職員がストを行うとしたら支持すると答えたという調査結果もある。

炭鉱ストライキのような暗いイメージを払拭しなければ左派は人気が出ない、労働争議はもう古い、と思っているのは実際にそれを見てきた年代の人々で、若い世代は労働者が闘うことに「ダサい」「時代遅れ」というイメージは持っていないようだ。「労働者の党」を名乗る政党が生活苦にあえぐ労働者の闘いを支援しないとすれば、若者たちにどんな印象を与えてしまうだろう。

２０２２年はウィリアム王子が路上でホームレス支援誌「ビッグ・イシュー」を売

り、話題を集めるような特殊な年だ。王室ですら貧困禍の庶民のムードを察知して動いているのに、労働党はそのムードの受け皿になる気があるのかないのか、はっきりしない。

英国はストの夏

PANIC　2022年8月

記録的な猛暑、ジャガイモの不作やフィッシュ・アンド・チップスの危機など、この夏の英国は日本にもいろいろと話題を提供しているようだ。しかし、日本でそれほど取り上げられていない英国の話題に「サマー・オブ・ストライキ（ストライキの夏）」がある。

6月には過去30年で最大規模といわれる鉄道ストライキが行われたばかりだが、さまざまな組合が賃上げを求めてストを計画している。郵便局職員、バス運転手、航空会社職員、ゴミ収集員など、リストを見ているだけでも、これだけの業種でストが一斉に行われたら英国はどうなるのだろうと心配になるぐらいだ。が、英国に長く住んでいる人なら、昔はこうしたストライキが行われていたものだという既視感があるだろう。

しかし、今回はBTグループの職員たちがストを行うというので、同社を利用している人々を震撼（しんかん）させた。通信労働組合（CWU）の組合員であるBTとその子会社の従業員たちは、2度にわたる24時間ストライキを行っている。コールセンター従業員やエンジニアを含む組合員たちは、全国各地の支社の外で抗議活動を行い、フードバンクに寄付できる食料品を持ち寄るよう人々に呼び掛けた。このストライキは、全従業員に対する年間1500ポンド（約24万円）の賃上げでは、物価上昇率に追い付かず、実質的な賃金削減であるとしてCWUの主導の下、行われている。

CWUのウォード書記長は、「BTグループの従業員たちは、自分たちの生活水準を守るため、歴史的なストライキを行うことを余儀なくされた。ちょうどパンデミックの最中のように、雇用主や政治家たちが失敗している時に、労働者階級の人々が難しい状況の中で積極的に行動を起こし、必要なものを求めて連帯している」とガーディアン紙に話している。

近年、ニュースのヘッドラインを飾った運動には、ブラック・ライヴズ・マター、Z世代の環境運動などがあるが、今夏の英国では、古式ゆかしい労働者の賃上げ闘争が一気に復活しているようだ。

物価高で庶民が苦しんでいるとき、なぜかストライキとは距離を置こうとしている労働党とは対照的に、この〝熱い〟夏を率いているのは労働組合なのだ。労働者の運動とともに、組合の存在意義のリバイバルが起きている。

暴動も辞さない?

PANIC　2022年9月

しばらく日本に帰省して英国に戻ってきたら、テレビのニュースは、他に話題はないのかというぐらい物価高と生活苦のリポートでもちきりだ。

コロナ禍中には国の救世主と持ち上げられた看護師の女性が、大人のための粉ミルクのような栄養代替ドリンクをつくって水筒に入れている姿が撮影されている。生活苦のため、三度の食事もままならず、このドリンクでおなかを満たして仕事をしているのだという。ハムやパンを買ってサンドイッチを作るより安くつくし、腹持ちもよいと話している。

光熱費が急激に上がり、食品の値段が上がり始めてから、子どもたちに食べさせることを優先し、自分は食事を抜いているという。

「賃上げを求めて闘うNHSの職員たちのストライキに加わりますか」と、リポーターに質問された彼女はこう答えた。

「ストは嫌いです。私たちは、人々の生命に関わる仕事をしているのだから、絶対にそんなことはすべきではない。だけど、今回だけは……。分かりません」

消防隊員の男性が、職場で忙しく立ち働く姿も撮影されている。が、彼も3人の子どもを抱えて生活苦にあえいでいる。

「食事を抜かなくてはいけないなんてことはこれまでなかった。周囲もみんなそうだ。この仕事はストップすることは許されない業務だ。だが自分たちにも生活がある」

こんな映像ばかりがニュースで流れているので、英国に戻ってきた感想を、息子はこう言った。

「Doom and gloom（お先真っ暗）って感じだね」

コロナ禍中に持ち上げられた、いわゆる「キー・ワーカー」たちが一斉にストを行えば、医療関係者や消防隊員がいなくなり、鉄道やバスが走らなくなり、路上にゴミがあふれるだろう。

まるで英国でパンクが生まれた70年代後半のような時代が戻ってくるのだ。

実際、8月10日にインディペンデント紙が発表した世論調査でも、たいへんにアナキーな結果が出ている。英国の人々の半分以上が、光熱費の不払い運動は正当な行為と考えているのだ。

さらに、なんと29％が、現在の状況では暴動も正当化できると答え、この数字は、

18～24歳の層では49％に上っている。きな臭い。実に、きな臭い。

草の根の力

PANIC　2022年10月

中学2年生を対象とした無料の算数教室が終了した。コロナ禍のロックダウンによる長い休校のため、中学進学時の読み書きや算数の補習が学校で受けられなかった中学2年生たちも9月から3年生になった。最初から1年と期限を決めて始動したボランティアの補習教室だった。教室を率いていた大学の数学講師も、秋からは仕事が以前より忙しくなるのだそうで、彼が自分で忙しくしたのには理由がある。いわゆる、コスト・オブ・リビング・クライシスだ。

月々の光熱費や食料品をはじめとする物価が急上昇している英国では、「食べられないほどの貧困」の問題がクローズアップされて久しい。大学生のボランティアもアルバイトの時間を増やさなければならないし、数学講師が休まなければいけないときに代役を買って出ていた元中学教員の主婦も、秋からは仕事に復帰するのだという。わたしは英国に住んで26年になるが、普通に生活していた人たちが、こんなにお金のことを心配していた時代はこれまでなかった。

最後のレッスンの後で、一人の少女が数学講師に近づいて彼と握手していた。その後で彼が言った。「すごくうれしい言葉を言われたからみんなとシェアさせてほしい。『私はここに来てよかったと思う。学校の先生に、わかりませんって言えるようになったから』って。『わかりません』と言葉にして大人に言える子が一人でも増えたのは、この教室で彼女が『わかりません』って言ったときに、君たちがきちんと対応してくれたからだ。ほんとうにありがとう」

わたしたちは互いに顔を見合わせ、肩をたたき合ったりしてから、自分の荷物をリュックやバッグに入れて教室の外に出た。

大文字の政治を上から語る。子どもの貧困をなくすにはどうしたらいいか。政治はどうすれば若者たちの能力を生かせるのか。貧困の連鎖を断ち切るためにどんな政策が効果的か。だが時にそれがむなしくなるのは、それはトップダウンの解決法だからだ。上から決めてもらわないとわたしたちは無力ですという態度でもあるからだ。しかし草の根はそんなに弱いのか。むしろ草の根が弱いところで政治は動くのか。ボトムアップの力について久しぶりに考えている。子どもの社会への信頼を回復させるのは、狭い半径での社会だ。

困窮する庶民、連帯の気運

女王の棺に並んだ「あの列」

欧州季評　2022年10月13日

エリザベス女王の死後、英国では「あの列（The Queue）」という言葉が流行語になり、ウィキペディアのページ（Queue for the lying-in-state of Elizabeth II）までできた。「あの列」とは、ウェストミンスター宮殿で公開された女王の棺に別れを告げようと並んだ人々の列（最長のときは24時間以上の待ち時間だったらしい）のことだ。順番が書かれたリストバンドを手首に巻いた人々が整然と並び、見知らぬ者同士で会話を始め、互いに励まし合い、助け合った。そんな人々の姿が繰り返しテレビやネットや新聞で伝えられた。

しかし、このデジタル時代に、どうしてあんな昔ながらのやり方で何キロも人々は並んだのだろう。

「オンライン申し込みのチケット制にするとか、方法はほかにもあっただろうに」

実際に並んで女王の棺に一礼したという知人に言うと、こんな答えが返ってきた。

「それじゃ、あのムードが味わえない。あそこで友達もできたしね」

社会の分断を生んだEU離脱や長いコロナ禍の後で、連帯感への渇望もあったのだろうか。「あの列」に存在したというコミュニティ・スピリット（共同体意識）と、国葬の日に複数のフードバンクが休むと発表したときの貧困に苦しむ人々はどうなるのかという怒りの声の盛り上がり。それらは、一見、反対のもののようでありながら、実は「他者との連帯」という点で繋がっているように思えた。猛烈な批判の声を受けて、休まないと発表したフードバンクもある。女王が亡くなったからといって、物価高で貧困に苦しむ人々の空腹が満たされるわけではない。むしろ、国葬が終われば、暗雲のように英国を覆っている「コスト・オブ・リビング・クライシス」に本気で向き合わねばならない。少なくとも、トラス新首相はそのことを知っていたはずだった。

＊

トラス政権の小型補正予算案発表の日、わたしは病院の待合室にいた。その場にいた人々はみな、テレビに映し出されたニュース番組の経済対策案の解説に見入っていた。

「財務相は、1970年代以来、最大規模の減税を発表しました」というブロードキャスターの言葉に周囲がざわつく。「いいニュースじゃないか、久しぶりに」と独り言のように言った男性もいた。

だが、「銀行員のボーナスに課されていた上限が廃止されます」という言葉で、一斉にブーイングが起きた。さらに「年収15万ポンド（約２５００万円）以上の納税者に課せられていた45％の最高税率を廃止」と解説されると、「なんて驚きだろう！」と皮肉っぽく言った女性や、怒りの表情で首を振っている若者もいた。

トラス政権は基礎税率を20％から19％に引き下げることも発表した。約３１０万人の納税者が恩恵を受けることになるそうで、平均で月額14ポンド（約２３００円）の減税になる。だが、高額所得者対象の45％の税率が廃止されれば、例えば年収20万ポンド（約３３００万円）の人は月額２００ポンド（約3万３０００円）以上の減税になることが説明されると、人々は一斉に近くにいる人と会話を始めた。

「要するに、金持ちがもっと金持ちになれば経済成長するっていう政策じゃないか」

「上のほうがもっとリッチになれば投資して人を雇うようになるから、だんだん金が下のほうにも落ちてくるっていう、この考え方、なんだっけ、ほら、昔よく聞いた、なんとかダウン」

それ、トリクルダウンですね、と思いながらわたしは周囲の会話に耳を澄ませていた。「なんとかダウン」と言ったおじさんの「昔」というのは、サッチャー政権の時代だったのだろうかと思いながら。

＊

トラス政権の経済政策は「減税とバラマキ」と言われているようだが、それはおもに高額所得者や銀行家といった人々が対象であり、月々の食費や光熱費の増加のスピードを心配している庶民のためではない。そのことを知った人々がいっせいにブーイングし、見知らぬ人たちとしゃべり始めた光景が心に残った。この感じもまた「あの列」と繫がっているのではないか。何かが起きたときにぱっと繫がる連帯の気運が、いまの英国にはあるように思える。

結局、発表から2週間もたたないうちに、トラス政権は最高税率45%の廃止案を撤回することを余儀なくされた。あの日の待合室の光景を見てもわかるように、あまりにも「金持ちをもっと金持ちにする」政策が不評だったためか、首相は「あれを決めたのは財務相」と責任逃れの発言すらしていた。

夏に始まりいまも続いている鉄道の大規模ストライキを見てもわかるように、考えてみれば、女王が死去する前から、人々の連帯の気運はあった。この国の人々は、社会への不満や怒りを個人ではなく、集団で爆発させるからだ。世論調査会社サバンタ・コムレスが今夏行った調査では、現在の状況ではストリートでの暴動すら正当化され得ると答えた人が29%おり、44%が数ヵ月のうちに暴動が起きるだろうと答えた。

このムードを軽視すると、トラス政権は墓穴を掘ることになる。

トラス政権の自壊

PANIC　2022年11月

アンドリュー・マーという、英国の人なら誰でも知っている有名ジャーナリストがいる。彼は、15年以上もBBCを代表する政治番組「アンドリュー・マー・ショー」の司会を務め、英国の歴代の首相だけでなく、国外の政治家もスタジオに招き、非常に厳しい質問をすることで知られていた。

昨年、番組が終了してからは精力的に執筆活動を行っているが、彼が短命に終わったトラス政権の失敗理由を考察した記事を見つけた。アンドリュー・マーは1980年代からジャーナリストとして働いているが、その頃の政治家たちと比べると、現在の政治家たちはあまりに経験がなさ過ぎるのではないかというのだ。彼が1984年に政治記事を書き始めた頃、保守党の役職を持たない平議員たちは、地元で自分のビジネスを営む人々が大半だった。みんな、貸借対照表が読めたし、被雇用者を解雇した経験や自分の会社のキャッシュフローを心配して眠れなかった経験を持つ人たちだった。

他方で労働党の平議員たちは、炭鉱や鉄鋼業で働いた経験を持つたたき上げの組合員やソーシャルワーカー、学校の先生をした経験のある人々だった。

しかし、いまの英国の議員たちは、大学で政治を学び、政党や組合でリサーチャーとして働いたりしてから選挙に出馬する。政界で純粋培養され過ぎていて、現実の社会を知らないとアンドリュー・マーは指摘する。

彼は、トラス政権（経済政策で大混乱を招き、発足1ヵ月で支持率が7％まで落ちた）は、そのことを象徴していたという。若きエリートたちの内閣には現場でのマネジメント経験や人生経験がなさ過ぎて、自分たちの政策や言動が人々にどう受け取られるか想像する力がなく、政治に不可欠な折衝能力も乏しいのでメディアとの駆け引きができない。

一般に、なぜエリート政治がよくないのかといえば、末端の人々の生活がわからないからとか、自分とは違う環境にいる人々へのエンパシーが足りないからとか言われてきた。しかし、今回のトラス政権の自壊は、それ以外のエリートの欠点を露呈している。

いわゆる狡猾（こうかつ）さやしたたかさや根回しの周到さ。経験で培うことのできる、泥臭い政治力がトラス政権には欠けていた。英国の人々がトラスに不安を感じたのは、実は経済政策より、その点だったのかもしれない。

時代の下部構造

PANIC　2022年12月

　2022年の英国は、世界に大きな話題を提供してきた。エリザベス女王の死去と国葬、そして、2ヵ月のうちに2度も代わった首相。

だが、それらの派手なニュースの下側で、途絶えることなく進行してきた大きな問題があった。「下部構造が上部構造を規定する」と言ったのはカール・マルクスだが、2022年の英国の下部構造は、疑いもなく「貧困の広がりとふつうの人々の生活苦」だった。

　2010年に保守党が政権を握って以来、ずっと続いてきた緊縮財政で人々の生活水準が落ちていたところに、コロナ禍と戦争による物価高と光熱費高騰で、「コスト・オブ・リビング・クライシス」「ヒート・オア・イート（暖房か食料か、どちらかを選ばねばならないほど困窮しているという意味）」という言葉も生まれた。もし英国に流行語大賞があったら、今年はこのどちらかが受賞しただろう。英国の全世帯の約半数が物価高騰で食事を抜いているというニュースは、日本でも報道されていた。

フードバンクの利用者数は史上最高となり、中でも、特に急増している利用者は看護師たちだとガーディアン紙が伝えていた。英国最大のフードバンク・ネットワークであるラッセル・トラストは、全国に約1300のフードバンクを運営しているが、最新の調査で、利用者のうち5人に1人が勤労世帯の人々だと判明したという。看護師、教員助手、配達運転手などが、ここ数ヵ月で特に増えた利用者だという。皮肉なことに、これらの職業に就いている人々は、コロナ禍でロックダウンが始まったときに、「キー・ワーカー」と呼ばれて感謝をささげられた人たちだ。

低賃金で社会を支えている縁の下の力持ちとしてスポットライトを浴びた人たちが、コロナ禍が終わると縁の下で貧困に苦しみ、飢えている。地元のフードバンクを手伝いに行ったとき、子ども支援団体の職員が来ていた。彼女は地域の貧困家庭の子どもたちに朝食を食べさせたり、週末に食事を届けるプロジェクトで働いている。手伝いに来たのかと思っていると、彼女は利用者の一人だった。

「仕事があって、住む家もあるのに、ここに頼るしかない。プライドは捨てた。サバイバルの時代だ」と彼女は言う。世界を騒がす英国の動乱の下部構造はこれだ。来年はここだけの話ではなくなるだろう。

生活費危機が広がる英国で、
NHSの看護師らがストライキ。
(写真：ロイター／アフロ)

2023

すさまじく連合王国的なありさま

図書新聞　二〇二三年一月一日

日本のメディアや出版物は、わが在住国のことをイギリスや英国と呼称するが、日本政府が公の文書に使用するときの正式名称を何と言うかご存知だろうか。グレートブリテン及び北アイルランド連合王国である。が、それじゃ長すぎて公式文書のスペースがいくらあっても足りないので、略して連合王国。考えてみれば、これは日本の人々がこの国を横文字で表記するときに使われるU.K.（United Kingdom）の直訳でもある。

2022年、その連合王国の王国たる所以が最大限に現前したのがエリザベス女王の死去から国葬までの期間だった。ロンドンに住む日本人たちの間で、「この国、やればできるじゃん」という言葉がさかんに囁かれていた時期だ。電車は遅れるのが当たり前、町の清掃は行き届かず道路がゴミと枯れ葉だらけ、うっかり一人で歩いていたら後ろから近付いてきたバイクにバッグをひったくられる、といった体たらくの首都の町が、その期間だけ嘘のようにビシッとしていたというのだ。電車もバスも定刻どおりに来るし、どこの国に来たのかと思うぐらい町は清潔、警官がそこら中を歩いていて犯罪が起こる余地もない、みたいな状況だったらしく、「ふだんのだらけ方はいったい何なのだ？」と怒っていた人もいた。が、わたしなんかはこういう話を聞くと逆に怖くなる。やっぱりここは紛れもなく王国だったのだ。だらけられない町を喜んでいる場合ではない。

そこいくと、英国首相なんてのは、たいした権力者ではない。そのことを思い知らされたのが、トラス前首相が首相官邸前で行った退任演説だった。首相官邸のあるダウニング・ストリートの散らかり具合が尋常ではなかったからだ。「やめます」と言っている前首相の背後の枯れ葉の山を見て、「うちらの通りも市の道路清掃員が滅多に来なくなったけど、ここも一緒だな」とジョークを飛ばした人もいたが、あれは12年にわたる保守党の緊縮政治を象徴するような映像だった。レタスの賞味期限より在任期間が短かった、と揶揄されたトラス前首相の失脚の直接の原因になったのは、トラス政権が発表したミニ予算案だった。大型減税案を発表するという噂が前から流れていたので、これに激高していた金融市場関係者とは正反対に、庶民はちょっと期待していた。この物価高&生活苦の時代に、税金が安くなることはウェルカムだったからだ。が、トラス政権の財務大臣が発表したのは一般庶民の税務を軽くすることではなかった。なんと所得税の最高税率（45％）を廃止すると言ったのである。つまり富裕層対象の減税だ。所得税の基本税率20％を19％に引き下げるということも発表されたが、たった1％ぐらい引き下げられても、それでなくとも所得の少ない層では、そんなものは雀の涙ぐらいの減税にしかならない。しかも、トラス政権は、ジョンソン元首相の時代に決まっていた法人税の増税も撤回すると発表した。

ミニ予算案発表の当日、わたしは病院の待合室にいたのだが、あのとき、待合室のテレビでニュース番組を見ていた人々の反応はすごかった。英国の人たちは、恥ずかしがり屋のわれわれ日本人と違い、いろんなところで見知らぬ人と会話を始めることで知られているが、このときも「なんじゃこりゃ」「これは企業と金持ちのための減税じゃないか」と部屋のあちこちから声があがり、トラス前首相やクワーテング前財務大臣への呪詛を周囲の人たちとぶちまけ合っていた。なかでも、印象に残っているのはある初老の男性の一言である。「こりゃ、あれだろ？　企業とリッチ層が潤えば、雇用と消費が増えてだんだん下のほうまで金がしたたり落ちてくるっていう……、むかしよく言った、ほら……なんとかダウンだよ」。

おっちゃんの言うなんとかダウンとはトリクルダウンのことだろうし、「むかし」ってのはサッチャーとレーガンの時代かなと思ったのだったが、このまま暴動に発展してもおかしくないと思ったほどの待合室の人々の反応を鑑みれば、ミニバジェット発表後にトラス政権の支持率が7％に落ちたのもむべなるかなと思った。

トラス政権は「財政支出の拡大＝バラマキ」で撃沈したという論調の記事を日本語でたくさん見たが、あれは「富裕層と企業へのバラマキ」だったから庶民の怒りを買ったのであり、もしも「庶民へのバラマキ」だったら政権の賞味期限はレタスより長かったのではないか。国債発行に反対し「(財政を) 締めろ！ 締めろ！」と言う金融業界・大企業・富裕層のエスタブリッシュメント連合と、生活苦から脱するために「もっと出せ！ もっと生活者のために！」という庶民たち。その壮大な階級闘争をトラス政権は起こせなかった、というか、起こす気がなかった。だから全方面・全階層からバッシングされることになり、「いったい何がしたかったんだ？」と首をひねられながら退場して行った。

とはいえ、彼女が何をしたかったのかは、まったく謎というわけでもない。トラス前首相と彼女をリーダーにかつぎ上げた、サッチャーを敬愛する保守党の一角の若きエリートたちは、本気でトリクルダウンを信じていたようなのだ。そりゃ階級闘争を起こす気がないのは当たり前だ。トリクルダウンは、経済トップダウンの理論であり、下から上に突き上げる階級闘争とは真っ向から対立する。

しかし、そんな理論を信じて推し進めたところでけっして現実化しないことはサッチャー以降の英国（&近年の日本）が見事に体現している。その証拠に、英国では、いまやトリクルダウンはまったく違う意味で使われる言葉になりつつあるのだ。

ガーディアン紙のコラムニスト、ギャビー・ヒンズリフがトリクルダウンの新定義について書いている。それは、親から子へと一族の中で滴り落ちるお金の流れだというのだ。「ベビーブーマー世代vs.ミレニアル世代」という世代間闘争の構図はまやかしであり、本当のところ、ベビーブーマー世代の親たちからミレニアル世代の子どもたちへと相続されるお金の流れが「21世紀のトリクルダウン」だというのである。

これは説得力のある新解釈だ。英国は相続の大黄金期に入ると言われている。今後30年のあいだ、戦後の経済成長の時代に稼いだベビーブーマー世代の資産が、ミレニアル世代の子どもやZ世代の孫の懐に流れ込む金額は、約5兆5000億ポンド（約913兆円）に上ると資産管理会社のキングス・コート・トラストも試算している。この膨大な額の世代間トリクルダウンは「グレイト・ウェルス・トランスファー（壮大なる富の移転）」と呼ばれている。死後の遺産相続だけではない。40％の相続税を政府に払いたくない英国の高齢者たちは、別の形で子や孫にお金を流そうとする。たとえば、住宅の購入、孫の教育費という形で生きているうちに家族内の若い世代へトリクルダウンを行うのだ。そして、これは富裕層だけの話でもないという。ＨＭＲＣ（イギリス歳入課税庁）の調査によれば、70代以上の英国の人々の約4分の1が過去2年のあいだに経済的に自分の子どもを助けている。「〇〇さんは実家が太くていいなー」と子どもたちに言われると何かしなくてはと思うのか、借金をして孫の大学費用を出したりしているというのだ。こうした高齢者たちの行動の裏にあるものは、自分たちは大学に無料で行けた、いい時代を生きた世代だという罪悪感だ。とはいえ、親や祖父母に何の経済的援助もしてもらえない人々もいる。逆に貧しい親を援助している人も存在する。彼らには上の世代から一銭だってトリクルダウンしてこない。

こういう事実を見てくると、「リッチな高齢者vs.プアな若者世代」という世代間闘争が21世紀の階級闘争という見立てには無理があり、金は相変わらずあるところに留まるというファクトがわかってくる。みんなプアなはずの若者たちこそ、「持てる者vs.持たざる者」の格差がいっそう激しくなる世代なのである。「家族の金」の時代である。この世襲のトリクルダウンを象徴するのがバッキンガム宮殿やウィンザー城に住んでいる一族だとすれば、非常に連合王国的なありさまとも言えるだろう。

メリトクラシーと新自由主義が支配的になり過ぎたと言われるわりには、実のところ世界はものすごく世襲的、階級的になっているのであり、女王の国葬が世界中から称賛された事実こそが端的にそのことを表していたのではなかったか。

若い世代はあらゆる意味で左翼的と言われている。ならば彼らは、貧困の連鎖や階級の問題にも敏感であるだろうか。だとすれば、彼らの世代の中の「持てる者」たちは「家族の金」の相続を拒否して再分配に回すだろうし、それを行う政治を支持するだろう。そんなことが現実に起これば、本当の意味で社会は変わるだろう(が)。

ストは階級闘争

PANIC　2023年1月

　2022年末から2023年1月にかけての英国の冬は、「ストライキの冬」として記憶されることになるだろう。年末から1月にかけておびただしい数の職種の人々がストライキを打つ。ざっと挙げるだけでも、鉄道職員、看護師、救急隊員、郵便局職員、学校教員、自動車基準当局職員、空港の入国審査官、バス運転手、地下鉄職員など、まるでストの波状攻撃だ。

　英紙ガーディアンのサイトには、「ストライキ・カレンダー」なるものすら登場し、どの日にどの職種がストをやっているか一目でわかるようになっている。四半世紀以上も英国に住んでいるが、こんな状況は見たことがない。1920年代の伝説のゼネラル・ストライキってこんな感じだったのだろうか。

　前述を見ればわかるように、ストを行っているのはコロナ禍中に「キー・ワーカー」と呼ばれ、国を回すために働き続けた人々だ。

キー・ワーカーたちの逆襲。そんな言葉が浮かぶ。コロナ禍中は命を張って地域社会のために働き続けたのに、物価高の時代が来ると低賃金すぎて食べていけない。そんなにわれわれに感謝しているなら、賃金を上げてくださいというのは当然の要求だろう。

年末年始に彼らがストを行うのは、自分たちの存在価値を示すためだ。郵便局職員がストを行ったら、クリスマスカードやプレゼントが届かない。インフルエンザが流行する時期に看護師がいなくなったら病院の機能はまひする。帰省シーズンに空港の入国審査官や鉄道職員やバス運転手が働かなくなったら大混乱だ。

このようなキー・ワーカーたちのストを阻止する目的で、スナク首相は、公共セクター職員のストライキを制限する法を作ろうとしているが、組合側は違法として提訴する構えだ。

興味深いことに、スト制圧に躍起になっている政府とは違い、庶民はキー・ワーカーたちに同情的である。医療従事者や公共交通機関職員のストで生活に支障が出ていても、末端の庶民は、責任は政府にあると考えている。特に医療従事者のストへの支持は高く、最近のYouGovの調査でも、66%の人々が看護師のストを支持し、反対は28%だった。救急隊員でも賛成が63%、反対31%だ。庶民も末端労働者だから、同胞の苦しい状況は分かるのだ。「ストは階級闘争」という本で読んだ概念を、実地で思い知らされている冬だ。

「緊縮2・0」地べたの抵抗

いよいよ我慢できぬ英社会

欧州季評 2023年1月12日

「要は経済なのだよ、馬鹿者が」

これは、1992年の米大統領選でクリントン元大統領の陣営が使った有名な言葉だ。ちなみに、この連載が始まったのは、それから四半世紀が過ぎた2017年。だが、この5年間、わたしは「欧州季評」を書きながら幾度となくこの言葉を思い出したのだった。クリントン元大統領は選挙で勝つための標語としてこの言葉を使ったし、わたしも左派が支持を伸ばすために「要は経済」の姿勢が肝要だと信じていた。だが、そういう呑気(のんき)な時代は終わった。コスト・オブ・リビング・クライシスが広がる英国では、この言葉はもはや戦略ではなく切実な現実だ。

この年末年始、少なくともわたしの周囲には浮ついたムードはなかった。わたしの友人や知人には、コロナ禍中にいわゆる「キー・ワーカー」と呼ばれた人々が多い。彼らにとってこの冬は「ストライキの季節」だ。看護師、救急隊員などの医療従事者、鉄道職員、郵便局職員、高等教育の教職員、空港の入国審査官や税関職員など、続々とストの輪が広がっている。「今年はクリスマス・ショッピングよりピケットラインに立つ」と言った知人もいた。

彼らだって好きこのんでストをしているわけではない。看護師の友人も最後までストに参加するか悩んでいた。人の命を預かる職業の人間が、自分の事情でストなんかするわけにはいかないという責任を感じていたのだ。だけどシングルマザーの彼女には、食卓に子どもたちの食事を載せる義務もある。罪悪感に苦しみながら、それでも、ギリギリのところで決断し、彼女はストに参加した。そんな心情を庶民も理解しているのだろう。看護師のストライキを64％の人々が支持しているという調査結果もあったとBBCは報じていた。

＊

物価高と光熱費の高騰、EU離脱の影響で現在の状況になっているのは明らかだが、英国の場合、2010年に政権を握った保守党の緊縮財政のせいでその前から貧困と庶民の不満は広がっていた。

ホームレスが急増したこと、治安が悪化していること、女性の権利が後退していること、福祉削減の影響を受けた家庭ほど極右支持に傾いていたことなど、この連載でも緊縮財政が英国におよぼした影響を繰り返し書き綴ってきた。対外的にはEU離脱などの派手な事象で話題になった英国だが、国内で足元から社会を腐らせるようにじわじわ進行してきた問題はこれであり、これこそが英国の混乱の下部構造だと思うからだ。

そして非常に危惧されることに、英国政府はこの混乱の元凶を終わらせるどころか、さらなる緊縮財政のフェーズに突入しようとしている。昨年の秋に就任45日目で辞任表明し、権威を失うまでの期間がレタスの消費期限より短かったと揶揄されたトラス前首相の後任、スナク首相の経済政策は、早くも「緊縮2・0」と呼ばれているからだ。トラス前首相が大幅減税案（と言っても、これは富裕層と法人を対象としたバラマキ案で、それが庶民の激しい怒りを買うことにつながったが）で金融市場を大混乱させて失脚した後だけに、スナク政権は「大幅な増税と歳出削減」を柱とする財政再建計画を高らかに発表した。この案に金融市場は安心したようだが、末端の庶民は安心どころか不安のどん底に突き落とされている。それでなくとも生活苦で食事を抜いているような人々に、どうやって大規模な緊縮に耐えろというのか。

＊

だが、批判しているのは庶民だけではない。タイム誌の公式サイトは、景気後退の局面にある英国が再び緊縮を行うのは逆効果になる可能性があると書いているし、『チャヴ　弱者を敵視する社会』や『エスタブリッシュメント　彼らはこうして富と権力を独占する』の著者であるオーウェン・ジョーンズは「緊縮2・0は不可避ではない。政治的選択だ」と批判している。ガーディアン紙で緊縮を痛烈に批判していた人類学者のデヴィッド・グレーバーがもし存命だったら、彼だって黙ってはいなかったろう。

国連の特使でさえ、新たな緊縮は貧困を悪化させて、人権を守る国際的義務の違反につながるとスナク首相に警告している。初の非白人の英国首相として多様性のシンボルになったスナク首相だが、こうした警告を無視して緊縮を進めれば、他者の人権を守らなかった首相として記憶されることになるだろう。何度でも言うが、貧困は人権の問題なのである。

経済的弱者の人権が無視されている状況を、英国に住む人間はもう10年以上も見てきた。前述したストライキの続発は、いよいよ我慢できなくなった人々の抗う姿だ。それだけではない。雨後の筍のように増え続けるフードバンクや貧困者支援の輪、地域での助け合いの活動も、地べたの抵抗運動だ。これら相互扶助の盛り上がりは、国を動かす立場の人々にこう告げているのである。

「社会とはこうやって存続させるのだよ、馬鹿者が」

おそらく次の時代は、この抵抗の中から始まる。

「鉄の女」とスナク

ＰＡＮＩＣ　２０２３年２月

英国のストライキの勢いが止まらない。看護師、教員、鉄道職員、郵便局職員、バス運転手など、今世紀最大といわれるストが国の至るところで行われている。

学校は休校になり、駅には人影もなく、空港の入国審査のカウンターにはスト中の審査官たちの代わりに英軍兵士が座っている。２月１日には、教員や公務員、鉄道職員など50万人が一斉ストを行い、ロンドンの中心部は労働者のデモ行進で埋め尽くされた。

「こんな時代が戻ってくるとは思わなかった」といろんな人が言う。英国の人々が「こんな時代」と呼ぶのは、ストが多発した１９７０年代から１９８０年代にかけてである。

この大規模ストを終わらせたのが１９７９年に政権を取った「鉄の女」サッチャー元首相だった。彼女は労働組合を目の敵にし、労働組合法を通じ組合の影響力を弱体化させる改革を行った。他の組合によるストを支援する同情ストの禁止、事前のスト権投票などを導入し、組合がストライキを実施しにくくしたのである。

過去30年で最大規模のストが政権の命取りになるかもしれないスナク首相も、保守党の大先輩であるサッチャーのやり方に倣い、法でストを規制しようとしている。地域共同体にとって「エッセンシャル（必要不可欠）」な業種の人々がストを行う権利を制限しようとしているのだ。

しかし、この企ては不人気だ。それがサッチャーとスナクの大きな違いなのである。サッチャーは「労働者がストばかり打って働かなくなったから英国経済は地に落ちた」と主張したが、それは国民の多くがそう思っていることを知っていたからだ。彼女は世論に敏感で、追い風に使うことにたけていた。

だが、スナク首相は違う。コロナ禍中、感染のリスクを冒して「エッセンシャル」な仕事をこなしてくれた看護師や教員や鉄道職員、バス運転手といった人々に庶民がどれほど感謝したか、そんな彼らが賃上げされず生活苦に陥るのはおかしいと考える国民がどれほど多いかということを分かっていない。

これだけストが広がれば、市民の生活にも影響が出る。だが、Ｓｋｙニュースの最新の調査では、組合への支持率は、昨年11月からさらに上昇している。日常の不都合を我慢してでもおかしいことはおかしいと言う。そんな英国の人々の民意がストを支えている。

ついにアマゾンも

PANIC　2023年3月

医療従事者や教員などの公務員や公共交通機関職員の組合が行っていた英国のストライキが、ついにアマゾンに飛び火した。1月にコベントリーにあるアマゾンの倉庫の労働者たちが賃上げを求めてストを打ち、2月、3月と続けてストを行う日程を発表している。

英国内でアマゾンの労働者がストを行ったのは初めてのことだ。アマゾンは、時給10ポンド50ペンス（約1700円）で働いている労働者たちに、50ペンス（約80円）の賃上げを約束したが、労働者たちはこれに納得せず、時給15ポンド（約2500円）を求めている。ちなみに、現在、英国の法定の全国生活賃金は23歳以上で10ポンド42ペンスである。つまり、アマゾンの労働者たちは限りなく全国生活賃金に近い時給で働いているのだ。

光熱費高騰と物価上昇のため、末端の労働者たちが生活苦に陥り、賃上げを要求する動きが続いているが、アマゾンの労働者たちが要求しているのは賃上げだけではない。以前からあまりにも有名だった劣悪な労働環境の改善も求めている。

「アイ・アム・ノット・ア・ロボット」

彼らがストで掲げるプラカードには、こう記されている。

ストに参加している労働者の1人が、英紙ガーディアンに寄稿した記事の中で、現在の労働環境について明かしているが、トイレに行く時間まで監視され、作業ノルマを果たせないと罰金を科せられるという。広大な倉庫の端から端まで移動すると一日に何マイルも歩いた計算になり、そんな職場で長時間シフトをこなしている。この非人道的な報告を読んでいると、1888年のロンドンのマッチ工場の女性工員たちによるストライキを思い出す。彼女たち（多くが少女だった）もまた、トイレに行ったり、作業スピードが落ちたりすると罰金を科され、ひどい状況で働かされていた。不衛生な職場のために病気がはやったとき、彼女たちはいよいよ我慢できなくなって連帯し、立ち上がった。この女性工員たちの行動をきっかけに、非熟練労働者たちのストライキが英国全土に広がることになったのである。

ニューヨークで世界初のアマゾン労働者の組合を結成したクリス・スモールズも英国入りし、コベントリーのストを応援している。このままでよいわけがなかったのだ。アマゾン労働者たちの国際的連帯が始まった。

あさって

PANIC　2023年4月

「あさって」という言葉には2つの意味がある。1つ目は「明日の次の日」の意。そして2つ目は「見当違いであること」。英BBCの『J-POPの捕食者　秘められたスキャンダル』というドキュメンタリーを見終わった後、2つ目の意味でこの言葉を口にしそうになった。

この番組は、日本のジャニーズ事務所の創業者である故ジャニー喜多川氏の少年たちに対する性的虐待問題を追ったもので、ゴールデンタイムの午後9時から、社会派ドキュメンタリーで定評のあるBBC2で放送された。英国では著者の周囲でも大きな話題になったが、なぜか日本の新聞やテレビには取り上げられていないようだ。

この虐待スキャンダルは、単なるうわさ話や都市伝説ではなかった。2003年7月、ジャニー氏とジャニーズ事務所と文藝春秋の民事裁判で、事務所の少年たちに対するジャニー喜多川氏による「セクハラ行為」に関する記事は、その重要な部分において真実であることの証明があったと認めた。ジャニーズ側は上告したものの、最高裁は2004年2月に上告を棄却。東京高裁判決が確定したのだった。しかし、文春を除く日本の大手メディアはこの件について沈黙してきた。

BBCの記者は日本に飛び、虐待の被害者やジャニーズと裁判で争った文春関係者などに取材している。警察、エンタメ記者、音楽プロデューサー、新聞社、テレビ局などに取材を申し込んだが断られたそうで、ジャニーズ事務所の社長からは、「透明性の高い組織体制及び制度整備を一歩ずつ進めております」と、今後のコンプライアンスについて記した書面回答のみが戻ってきたという。

見当違いな回答を返すだけで本件をスルーしようとする日本社会について、BBCの記者は番組の最後でこう締めくくっていた。

「子供は守らなくてはならない。しかしこれについて、誰も責任を問われず問題の認識さえされていません。それこそがなにより恥ずべきことです。」

この言葉が要約するように、実は、BBCの番組の本質は醜聞の暴露でも、メディア批判ですらないと思う。「子どもを守る」という理念をあなたたちは持っているのか。その根源的な問いを日本社会は突き付けられているのだ。求められているのはこの問いに正面から答えることで、「あさって」な回答で自己防衛することではない。

人間力の復活

PANIC　2023年6月

10年前、工場労働者や配送業などの人々は真剣な顔で子どもに言ったものだった。「俺がやってるような仕事は、おまえたちが大人になる頃にはロボットがやっている」と。

だが、現代では、いわゆるエリートと呼ばれる人たちや、オフィスで働く人々が言うようになった。「自分たちの仕事は、そう遠くないうちにAIに取って代わられる」と。

英国ロンドンに本社を置く大手電気通信事業者BTグループが、2030年までに最大5万5000人の従業員を解雇すると発表した。そのうち、1万人の雇用がAIに置き換えられるという。

こうした発表は驚くべきことではない。企業は市場経済の中で生き残るため、テクノロジーの変化に対応する必要がある。

しかし、歴史を振り返れば、テクノロジーの変化は新しい仕事を作り出してきた。

例えば、20世紀にもてはやされた仕事の一つにタイピストがあった。だが、誰もがコンピューターを使う時代になり、絶滅職種となった。その代わりに急増したのは、ウェブデザイナー、グラフィックデザイナーといった職種の人々だった。

同様に、AIも人間の仕事を駆逐するのではなく、新たな仕事を生み出す可能性がある。それに加え、現在あまり重要視されていない職種がもてはやされる価値観の転換が起きるかもしれない。

ミルトン・キーンズにオープンし、ロボットが食事を運ぶレストランとして話題を集めた「ロボタジア」が閉店した。理由の一つはコストの上昇だという。ロボットやAIを導入すれば効率が上がると考えがちだが、メンテナンス費用も要るし、光熱費高騰などの経済環境の影響も直接的に受ける。

さらに、顧客サービスの点でも、ロボットには複雑な要求を理解する力はまだない。サービス業では、IQに対してEQと呼ばれる感情的知性やエンパシーが不可欠だといわれるが、こうした感情労働の側面はロボットには期待できない。

医療にせよ、患者のデータ分析や診断を下すことはAIの方が得意かもしれないが、視覚と手の協調を必要とする外科治療や患者の感情を含めたケアの部分は、AIには任せられない。データ重視の時代が続いたが、人間にしかできない仕事は、感情に関わっている。人間力という古くさい言葉が復活する時代になるかもしれない。

恐ろしいデータ

PANIC　2023年7月

「今どきの子どもは、みんな背が高くなったからねえ」

これは大人たちが次世代の若者たちを見てユニバーサルに言う言葉だった。しかし、英国では事情が変わってきている。5歳児の身長の伸びが止まっているというのだ。

200ヵ国の5歳児の平均身長を比較すると、英国の5歳児は1985年には69位になった。しかし、2019年には、男子が102位、女子が96位といずれも大きく順位を下げている。オランダと比較すると、7センチも身長が低くなっている。

子どもの身長の伸びは、摂取する栄養や生活環境とリンクすることが明らかになっている。専門家たちは、国民の食生活が貧しくなったことと、NHSの予算不足を指摘する。

英国の貧しい地域では、「くる病」や「壊血病」などの、ビクトリア朝時代の疾患と思われていた病気が復活していると報告されている。いずれも栄養不足が原因とされる病である。ユニバーシティ・カレッジ・ロンドン（UCL）グレート・オーモンド・ストリート小児健康研究所のティム・コール教授は、「どういうわけか、2010年から英国の5歳児の身長が他国に抜かれ始めた現象について、緊縮財政の期間と合致する……。緊縮財政が子どもたちを頭からたたきつけて身長の伸びを止めているのだということです」とガーディアン紙に語っている。

さらに、この調査で明らかになったのは、デンマークなどの手厚い福祉で知られる国の子どもたちに比べ、フランスやドイツなどの激しい格差の問題を抱えた国の5歳児の平均身長の方がかなり低いことだった。もちろん、身長だけが子どもの成育を測る尺度ではないが、それぞれの国の経済や福祉のあり方がこうしたデータから透けて見える。

「富む者だけがますます富み、貧しい者はいよいよ貧しくなる」社会では、全体の平均は伸びなくなるのである。格差の拡大は経済成長を阻害するというが、子どもたちの成長も妨げている。

子どもがどんどん縮む社会なんて、まるでディストピア小説ではないか。経済のあり方を真剣に考えない社会では、やがて子どもは消えるかもしれない。

医療制度とスト

PANIC　2023年8月

NHS職員のストライキが続いている。看護師や救急隊員、ジュニアドクター（専門医や総合診療医になる前の若い下級の医師）が断続的にストを打っているが、興味深いのは、一般の人々のストへの支持が落ちるどころか、少しずつ上がっている事実だ。

英国では、一部の裕福な人々以外は、すべてNHSの病院のお世話になっているので、その職員たちがストを行えば、せっかく取り付けていた予約が延期になったり、治療や手術が予定どおりに進まなかったりして支障が出る。医療は人々の命に関わる分野だから、ストが長引けば長引くほど反対する人が増えそうなものなのに、そうなっていない。

市場調査会社イプソスの調査によれば、ジュニアドクターのストを支持すると答えた人は、今年1月の段階で47％だったが、6月には56％にアップしていた。看護師のストへの支持も、1月には61％だったが、6月には62％とわずかに増えた。救急隊員のストに反対すると答えた人は24％しかいなかった（救急隊員でも21％）。

こうしたストへの支持も追い風になっているのか、7月にはついに専門医たちがストに踏み切った。専門医たちの賃金はそもそもそんなに低くないので、「生活していけないわけではないだろう」「便乗スト」と言う人もいる。しかし、彼らにはストを行わねばならない理由がある。

賃金の上昇率が低いために、NHSの専門医が民間の病院や海外の病院に流れ出し、現場の医師が不足しているのだ。彼らは生活が苦しいからではなく、NHSを存続させるために医師の賃金を上げろと政府に要求している。このままベテランの医師たちがNHSから去って行ったら、国の医療制度は回っていかない。裕福な人々だけが民間の病院で素晴らしい治療を受けられ、庶民は医師が足らないNHSの病院で治療を受けられないという、戦前のような露骨な医療格差の時代が戻ってくるのだ。

「われわれは未来のNHSで働く医師を確保するために闘っている」と、ストに参加した医師がニュース番組で語っていた。短期間の不都合を、長期的な自分たちの利益のために我慢する。英国の人々が医療従事者のストを支持するのは、そんな気持ちなのだろう。

インフレ制御

PANIC　2023年9月

英国がインフレを制御できずにいる。一時のように2桁のインフレ率をたたき出してはいないが、6月のCPI（消費者物価指数）は約8％の上昇で、主要先進諸国では突出した数字だ。

どうして英国のインフレは根強いのか。光熱費の高騰は他国も同じであるはずだが、英国には特殊な事情がある。EU離脱をしたせいで、農業やサービス産業、配送業で働く移民が減っていること、そしてEU諸国から輸入される物品の規制が以前より煩雑になり、供給と需要のバランスが崩れてしまった。

しかし、それ以上に現在問題視されているのは、スーパーマーケットなど小売りチェーンの便乗値上げだ。イングランド銀行の総裁も、「一部の小売業者が顧客に対して過剰請求している証拠がある」と警告した。

企業がインフレを口実に便乗値上げをすることにより、さらに物価高が進むことを意味する「グリード（強欲）フレーション」という造語が流行している。地べたの人々がストライキを行って賃上げを手にしたとしても、企業が便乗値上げを続ければ生活は楽にならない。

欧州を見渡せば、インフレ制御に成功している国もある。例えば、スペインだ。スペインのインフレ率は2%を下回っており、これは同国のインフレ・ターゲットと同じだから、事実上、すでに物価高を解決したことになっている。スペイン政府は、迅速に、断固としたアプローチでインフレを抑えた。

英国よりも厳しいエネルギー価格の上限を設け、公共交通機関の価格の値下げを行い、企業の過剰な利益には税金をかけた。そして、大家がテナントに要求できる家賃にも上限を設けたのである。もちろんすべての企業や国民が喜んだ政策ではなかったが、こうした方策のおかげで他国よりもインフレ率を低く抑え込むことに成功した。

対して英国は、イングランド銀行に金利を操作させて何とかしようとしているだけで、この機を利用してもうけようとする大企業や大家たちの「グリード」を制御しない。インフレを冷ますため利上げを続ければ、不動産ローンが払えなくなる人々で不動産バブルが崩壊して金融危機も起こりかねない。

保守党政権は、党の支持層（大企業や資本家）に嫌われても「グリード」を制御すべきだ。政府は、党ではなく、人々を守るために存在する。

実験国家

英国という国は、2度の政治的実験の試験場にされたとオーウェン・ジョーンズが書いている。『チャヴ』『エスタブリッシュメント』などの著書が日本でも翻訳されているジョーンズが、ガーディアン紙のコラムで英国の政治状況を分析しているのだ。彼によれば、1度目に英国が政治的実験の試験場にされたのは約40年前。サッチャー元首相が、揺るぎない姿勢で新自由主義を推進したときである。

そして2度目はEU離脱の前から現在に至る保守党政権の政治だ。保守党が、労働者階級であることの定義を、元来の経済的階層から、「愛国者で、移民に懐疑的で、リベラルなエリートを嫌悪する人々」という文化的グループにすり替え、「自分たちこそ労働者階級の味方」と称し統治する実験を行った時代である。

そもそもマルクスは、資本主義経済においては、資本家階級（ブルジョワジー）に対し、賃金で雇用され、生産手段を持たない階級が存在するとして、後者を労働者階級と呼んだのだった。そこには、「愛国的」だの「エリート嫌い」だのといった文化的特質はまったく含まれていない。ところが、保守党はこのマルクスの定義を右派的に書き換える実験を行い、それに成功した。だからこそ、13年間も政権を維持してきたのである。

その成功の頂点が、ジョンソン元首相に導かれたEU離脱派たちの国民投票での勝利だったし、それに倣って大統領選でまさかの当選を果たしたのが米国のトランプ元大統領だった。英国で行われた政治的実験は、世界に広がりがちなのだ。

その英国で、労働者階級の定義がマルクスが唱えたものに戻ってきた。その証左がストライキである。低賃金にあえぐ労働者たちが、物価高の時代に立ち上がり、移民も英国人もジェンダーも性的指向も関係なく、肩を並べてピケットラインに立っている。労働者たちが連帯して、企業や政府に対して正当な経済の分け前を求める時代が戻ってきているのだ。

これはもちろん例外的なインフレで人々の生活が苦しくなったせいもある。しかし、「労働者階級の味方」を名乗りながら、富裕層や企業の減税のために福祉を切りまくり、庶民を貧困化させた保守党政治の欺瞞(ぎまん)に人々が気付いたことが大きい。来年の総選挙は「労働党に入れる」という人が増えているのも、そのせいである。

三枚舌の国から

PANIC　2023年11月

パレスチナ問題となると、英国は常に悪役だ。「そもそも、歴史を振り返れば、英国の三枚舌外交が一番悪い」と言われてしまう。英国は、第1次世界大戦時に、ユダヤ系財閥のロスチャイルドから資金援助を引き出そうとして「ユダヤ人国家の建設を支持する」と約束しながら、アラブ人にも「独立国家を作る」と約束し、その裏でフランスとも中東を分割支配しようとする密約を結んでいた。

このためにユダヤ人は国家建設を夢見てパレスチナへ入植を始め、第2次世界大戦でナチス・ドイツに迫害を受けたことに同情が集まり、1947年には「ユダヤ人にパレスチナの地に国を作らせよう」という国連決議が採択された。パレスチナは、ユダヤ人とアラブ人の2国に分割されることになった。が、アラブ人はこれに猛反発だ。以降、紛争が繰り返されることになる。いい加減なことを言って両陣営をだまそうとした英国が諸悪の根源だったと言われるゆえんである。

その三枚舌の国は、今回のハマスとイスラエルの衝突では、首相がイスラエルへの支持を明確にしている。野党労働党のスターマー党首も同様で、ハマスの残虐な攻撃を批判し、ハマスという組織はガザの人々とは別物であると主張してイスラエルの側についた。が、イスラエル軍によるガザへの軍事作戦が激化し死者が増えるにあたり、パレスチナ支持の抗議デモが拡大しており、苦しい立場に追い込まれている。党のスタンスに異議を唱えて労働党を離党するムスリムの地方議員たちも出てきた。

地べたでは、ユダヤ系の人々へのヘイト感情の高まりも見られ、公立のユダヤ教の学校には、学校のロゴが入った制服を着て登校しないよう生徒に指示が出ているところもある。同様にムスリムの子供たちも差別的発言やいじめのターゲットになっている例があるそうで、「学校に行きたくない」と言っている子もいると近所のコミュニティーセンターで聞いた。

国内の世論調査では、イスラエルとパレスチナへの支持は拮抗(きっこう)している(若い世代はパレスチナ支持が多い)。来年の総選挙にこの世論の分断が影響しないわけはない。より深刻な影響を受けるのは、イスラエル支持でまとまることができる保守党ではなく、ガザの人々への同情と反ユダヤ主義への警戒で引き裂かれる労働党である。

極右と住宅危機

PANIC　2023年12月

アイルランドのダブリンで反移民の暴動が起きた。2015年には国民投票で同性婚を合法化した世界初の国となり、リベラルで先進的と言われていた国でこのような暴動が発生した事実は、驚きをもって伝えられた。

発端は、子ども3人を含む5人が刺された傷害事件だった。容疑者はアルジェリア生まれの男性だったが、当初、警察は容疑者の身元を明らかにせず、SNSにさまざまなうわさが飛び交って発火点となり、極右が扇動して暴動が起きた。ダブリンの中心部ではバスや車が放火され、繁華街では略奪も発生した。「アイルランド人の命は大事だ」と書いたプラカードや国旗を掲げて、移民が多い地域でデモをした人々もいたという。

こういう事象が起きると、「移民が増え過ぎたから」という結論が導き出されがちだが、他の問題がある。それは、ホームレス増加と住宅危機の問題だ。

「極右勢力が武器にしているのは、アイルランド全土を悩ませ、人々を慢性的なストレスや不安や恐れに陥れている過去10年間の住宅危機だ」と英ガーディアン紙にアイルランドの大学教授が書いている。英国に住むわたしにしてみれば、隣国の状況には既視感が半端ない。

ＥＵ離脱の前には英国でも住宅危機の問題が深刻化していたことを書きたかったのが、小説『リスペクト　Ｒ・Ｅ・Ｓ・Ｐ・Ｅ・Ｃ・Ｔ』だったが、ジェントリフィケーションで手頃な家賃の住宅がなくなると、「住居に関するストレスや不安や恐れ」が人々の心に広がり、それに乗じて極右勢力が「移民が増えて住宅が不足している」「この国はもう満員だ」と言い始める。ダブリンの街に路上生活者が急増していることには、わたしも昨年（２０２２年）見て驚いたが、その光景を利用する勢力が、「アイルランド人は路上生活しているのに、難民は政府から住居を提供してもらっている」などと言い出すのだ。

ダブリンの平均家賃は月額２１０２ユーロ（約33万円）で、新卒教員の月給額と変わらないという。アイルランドは記録的な経済成長を成し遂げているが、それでも家賃の上昇率だけが異様に突出している。問題なのは移民の数ではなく、投機目的でアイルランドの住宅を買い漁り、住宅不足と家賃高騰を招いている企業や富裕層なのだ。右傾化の陰に住宅危機あり。同じようなことが世界中の都市で起きている。

哲学は何を変えることができるのか

映画『ぼくたちの哲学教室』（2023年5月日本公開）パンフレット

「そういうものだ」と慣らされて生きていると特に気づきもしないが、時おり、何かの拍子に、世の中では当然視されている事象について、「これはどういうことだろう」と気になり始めることがある。大人になるにつれ、そういう機会は減っていくように思うが、子どもの頃には誰しも「気になる」ことと頻繁に出会ったはずだ。

かくいうわたしも、この映画を見て、子どものときに気になっていたことを思い出した。それは、ライフという英単語である。どうしてこの単語は、日本語にすると「人生」と「生活」の2つの意味になるのか。子どもの頃のわたしには、「人生」という言葉は、小説や神父の説教の中に登場するような、何か高尚で壮大で、さらにいえば時間的なスパンが長いものに思えた。他方、「生活」は、明日の時間割とか台所で両親が口論している光景とかの、毎日の雑多で取るに足らないもののことで、時間的なスパンも短い。2つの言葉はイメージも扱いも違うのに、なぜ英語では1つの言葉でカバーするのだろう。ひょっとすると、英語を喋る国の人たちには、「人生」と

「生活」の区別はないのだろうか、と不思議に思った。

こんな風に、「当たり前」とされていることが引っかかり、気になる年齢の子どもたちに、積極的に考えることを奨励してみる。それをやってみたのが映画『ぼくたちの哲学教室』に出てくるエルヴィス・プレスリー好きの校長先生だ。

うちの息子は、イングランドのブライトンという町でカレッジに通っており、選択科目の一つとして哲学を学んでいるが、この映画を見てこう言った。

「小学校でも哲学を教えるべきだと思う」

どうしてそう思うのか尋ねると、彼は答えた。

「例えば、校庭で誰かと喧嘩をするときや、教室で誰かにいじめられるとき、どんなに難しい算数の問題が解けたってその知識は役に立たない。実地で僕たちを助けてくれるのは哲学だ。哲学というのは、実は最もプラクティカル（実践的）な学問なんだ」

おお、これは「ライフは人生か、生活か」問題に似ている、と思った。哲学には、高尚で壮大で、時間的に長いスパンのもの（何しろ、ソクラテスやプラトンは紀元前の人たちだ）というイメージがある。だから、「人生」と哲学、これは相性のいい組み合わせだ（そういえば、「人生哲学」という言葉もある）。他方、ありふれた「生活」のほうは哲学とはあまり関わりのないことのように思える。しかし、校庭や教室といったごく身近な場所でこそ哲学は力を発揮すると息子は言う。そしてまさにそれを体現しているのがこのドキュメンタリーなのである。

小学生に哲学を教える試みが、とりわけ強く心を揺さぶる映像になったのはこの作品の舞台のせいでもある。北アイルランドのベルファスト。そこは長い紛争と暴力に引き裂かれてきた町だ。アイルランドは19世紀に英国に併合された。が、1922年にアイルランド南部だけが独立し、1949年に英国連邦からも離脱したが、プロテスタント系住民の多い北部は英国に留まった。北アイルランドでは独立派のカトリック系と英残留派のプロテスタント系の紛争が絶えず、各地でテロが横行するようになる。

しかし、和平交渉が始まり、アイルランド、英国、欧州、米国の政治家たちが調停役を担った。この間もテロがやむことはなかったが、ついに1998年、英国政府とアイルランド政府の間でベルファスト合意が結ばれた。それは、長い年月をかけた努力と犠牲の果てに締結された和平協定だった。この後も暴力は続いたが、頻度は以前に比べるとぐっと少なくなった。アイルランドも英国も共にEU加盟国であったことを背景に、国境を緩やかにし、双方の交流が進むことにより、北アイルランドの住民の対立は緩和されていったのだ。

ところが、2016年の国民投票で英国のEU離脱が決まると、再び北アイルランドに混乱がもたらされた。英国がEUを離脱すれば、アイルランドと英国領土である北アイルランドの間に国境の壁が復活することになるが、それでは和平協定の破棄になる。英国がEUを抜けた後も、北アイルランドの国境問題について、英国とEUの意見の衝突が続いた。EU離脱がつくりだした北アイルランドの複雑な立場が、沈静化していたプロテスタント系とカトリック系の敵対感情を呼び覚ます恐れもある。2022年のアカデミー賞脚本賞を受賞したケネス・ブラナー監督・脚本の『ベルファスト』を例に取るまでもなく、いま北アイルランドが注目を集めているのも、こうした政治状況と無関係ではない。そしてこのドキュメンタリーは、まさにこの微妙な時期に撮影されたものなのだ。

北アイルランドに住む大人たちにとって、対立と暴力は「生活」だった。この映画に出てくる子どもたちの両親や祖父母は、恐怖と憎しみに支配された日常を覚えている。けれども、対立が緩和された時代に生まれ育った子どもたちは違う。やられたらやり返す報復の反復を断ち切るのは、これまでとは違う考え方だ。世代から世代へと受け継がれてきた感情の連鎖を断ち切るのは、上の世代にはなかった新しい考え方だ。

それはいったいどんな考え方なのだろう？　そのことをみんなで考えようとこの校長先生は子どもたちに言っている。そして自分たちが考えたことを点検し、反証し、何度でも考え続けていこうと。子どもたちだけじゃない。校長は子どもたちの周囲にいる大人たちも巻き込んで、2つの陣営に分かれて争ってきた人たちの町を、考える人たちの町にしようとしている。ラストシーンの壁画を見た人たちは、この校長先生が始めたことは、ある意味で革命なのだと気づくだろう。彼は紛争の町に哲学を持ち込み、そこに住む人々の「生活」と「人生」を変えようとしているのだから。

哲学とは、ライフ・チェンジャーなのである。

あとがき

暗い時代。と言われるようになって久しい。

EU離脱、トランプ現象、気候変動の加速。時代の暗さを嘆く材料には事欠かない時節に、世界をさらなる混乱に陥れたのがコロナウイルスだった。

これで本当に1930年代のような大恐慌が到来してしまえば、世界はもう暗いどころではなく、漆黒の闇、どん底もここに極まれりというぐらいダークである。

こうなってくると、明るい時代っていつだったかなあとふと考えてしまう。

英国に関していえば、真っ先に浮かぶのは白い歯をきらきらさせて笑っていた若き日のトニー・ブレアの顔だ。1997年に彼が首相に就任したときの英国は、異様なほど浮かれていた。右でも左でもない第三の道、なんてスローガンで「新たな労働党」を謳って登場したブレアの政権は、「これまでとは違う時代が始まるぞ」と人々をウキウキさせた。英国ってこんなに明るい国だったっけ、と拍子抜けしたのをいまだに覚えている。

クールでロック好きでリベラルでハンサムな若い首相、という彼のイメージは、左派やリベラルがいかにも騙されそうなものだった。あの頃の労働党は、「クール・ブリタニア戦略」とか言って、故デイヴィッド・ボウイとかノエル・ギャラガーなどのロック・スターたちを官邸に招いてきらびやかなパーティーを開いたり、やることが政府というより広告代理店じみていた。これからの英国経済はクリエイティヴな才能を輸出することで成長していくんだよ、という蜃気楼みたいなオプティミズムを発散させ、その裏では労働組合の力を削ぎ、NHSすら細切れに民営化して、労働党政権のくせに資本家とやたら接近してネオリベラリズムの思想（デヴィッド・グレーバーは、ネオリベラルは経済的プロジェクトに見せかけた政治的プロジェクトだったと断言している）を定着させた。それがブレアの政治だったのだ。

そのことを、いまの英国の人々はみんな知っている。

あの妙に陽気で前向きなムードは、その明るみの陰で格差をどんどん拡大させ、後に「チャヴ」という蔑称を生み、「ブロークン・ブリテン」と呼ばれた壊れた英国社会を作ったと知っている。

そう考えれば、世の中が暗いからといって、むやみやたらと明るさに飛びつくのも問題である。

実際、暗い時代には暗い時代なりの良いこともあるのだ。人々が政治について真面目に考えるようになる。好きなミュージシャンが一緒にシャンパンを飲んでいるから素晴らしい首相に違いない、みたいなイメージで適当に判断するのではなく、政策や政治理念について地べたの人たちが関心を持つようになる。おそらく、「ミスター・マルキシスト」と呼ばれた前労働党党首のジェレミー・コービンのような理念の強い人が政治の表舞台に出て来たのも、そうした時代背景によるものだった。

が、ここがまた一筋縄ではいかないところで、人々がイデオロギッシュになると、それはそれでまた別の困った状況を作り出してしまう。人々が「同じような意見を持つ人たち」と「反対の意見を持っている人」の2つの陣営に分かれて、いがみ合いを始めてしまうからだ。EU離脱などはまさにそれが極端に前景化した事象だった。EU離脱派と残留派がエンドレスのバトルを続け、あれだけ長い間あでもないこうでもないと揉め続ければ、いい加減でバトル疲れをしていてもいいと思うのだが、「友vs.敵」合戦は次から次と姿を変えて継続中である。

コロナ禍が始まった頃には「ロックダウンをすべきか否か」バトルだった。次に浮上したのは「キー・ワーカーに拍手すべきか否か」、その次は「ロックダウン中のデモ活動は違法か否か」、果てには「マスク着用義務は全体主義か否か」などなど、2つの陣営の攻防は続く。

こうもどつき合いが続くと最後には相手を消したくなるのか、「キャンセル・カルチャー」なる文化まで出て来た。もともとは、著名人や企業、ＳＮＳのインフルエンサーなどが好ましくない発言をしたときにそれをネット上で晒し、「この人（企業）をキャンセルする」と宣言して、その人物が出ている映画を見ないとか、その企業が出版した本を読まないとかいう運動を起こすことだという。

キャンセル・カルチャーは、社会の周縁にいて力を持てなかった人々が、有力な人や組織の不正に対して声を上げる有効な手段となる。が、他方では言論の自由を脅かすとして、スティーヴン・ピンカーなど１５０人の作家や学者たちが、キャンセル・カルチャーを批判する書簡を発表した。「リベラルな社会の活力のもとである自由な情報や思想の交換が日に日に締め付けられている」というのだ。

このようなハイパー分裂時代とでも呼びたくなるような風潮の中に生きていると、いま一番キャンセルすべきなのはインターネットじゃないかという気もしてくるが、まあわたしなんかもネットから出て来たライターなので、そういうわけにもいかないのはよく知っているつもりだ。

そうなのである。問題は、何一つそう簡単にキャンセルできないことなのだ。

現実も、社会も、歴史も、自分自身も、他者も、人生も、世の中というものはコンピューター上で何かを削除するようにキャンセルするわけにはいかないもので出来ているのだ。

つまり、わたしたちの生はキャンセルできない。したくともできない。だから、ぶつぶつぼやきながらでも続けていくしかない。

Keep thinking. Keep writing. Keep talking to each other.

この時事エッセイを書いていた数年の間、わたしはずっとそんなことを考えていたように思う。

そうした日々の思索の断片が、ひとつも削除されることなく一冊の本になったことは不思議な気がするし、書くということは、残すということかもしれないなんてことを昨今では考えるようになった。

暗い時代ほど、書き残しておくべきことはたくさん転がっているのだ。時事ネタを書くことは、どんどん日付が古くなるスナップ写真を残すことに似ていると思う。

後になってそれを見返す時代がどんなものになっているかは、いくらスナップ写真を見てもわからない。散らばっているスナップ写真はただ、明らかにキャンセル不可能なある時代の記録なのだ。

２０２０年８月８日

ブレイディみかこ

原点回帰　文庫版あとがきに代えて

本書の冒頭で、「五年一昔」と言うほど英国の状況は数年でがらりと変わってしまったと書いた。だが、実は1つだけ、まったく変わらないものがある。

緊縮財政である。

英国は保守党が2010年に政権を握って以来、その激しさに差はあっても、基本的にずっと緊縮財政政策を継続してきた。日本は微妙な左派と右派のねじれが存在するのでいまだにうまく伝わっていないかもしれないが、アナキストの故グレーバーから長年労働党を支持してきた古参レフトまで、「AUSTERITY（緊縮）」という言葉は十数年来の左派の共通の敵であり、その打倒を目標に掲げてきた。

今年は世界的に「選挙イヤー」と呼ばれ、米国、ロシア、インドなど数多くの国で選挙が行われるが、英国も例外ではなく、2025年1月28日までに総選挙が行われる（クリスマス時期に選挙戦を望む議員も有権者もいないので、間違いなく年内だろう）。

保守党から労働党への政権交代が起これば、緊縮財政は終わり、どーんと財政支出を行って衰退ムードを打破するのでは、と思う人もいるかもしれない。だが、労働党のキア・スターマー党首は「緊縮財政には反対だが、財政規律は必要」という煮え切らない発言をしており、選挙前なので明言は避けているが、彼の財政に対する考え方は保守党に近いとも言われている。

「コービン前党首が労働党をダメにした」が合言葉のようになっていたときに党首になった彼は、とにかくコービンとは逆のことをやろうとしているように見える。コービンが反ユダヤ主義疑惑で失脚したので、ガザとイスラエルの紛争でも、スターマーは明確にイスラエル支持を表明した。これがパレスチナに同情的な労働党の議員や党員の反感を招き、党内分裂の兆しも見えた。他方、もともと親パレスチナ派のコービンは、若い世代を中心とする親パレスチナデモなどに参加し、再び存在感を高めている。

スターマーは、「極左」と呼ばれたコービン派を党内から一掃した。コービン本人も党内に反ユダヤ主義が蔓延る(はびこる)のを黙認したとして党員資格を停止されたし、彼が党首になったときに労働党入りした映画監督のケン・ローチも「労働党から追放された」と発言して話題になった。コービン派が強く打ち出していたのが積極財政だったが、スターマーはそこでも逆張りをしているように見える。

このようにして彼が中道路線を取ろうとしているとしても、さすがにこれはないだろうと多くの労働党関係者を怒らせたのは、スターマーのマーガレット・サッチャー称賛発言だった。彼は、2023年12月にサンデー・テレグラフ紙に寄稿した記事の中で、近代の英国の政治に「意味のある変革」をもたらした政治家としてサッチャー元首相の名を挙げ、「我々の中に自然に備わっている起業家精神を解き放ち、混迷の状態から英国を引きずり出した」とサッチャー改革を絶賛したのだ。サッチャー改革に端を発した新自由主義から新たな経済へと転換する時期だというのが識者たちの主流の論調になっているときに、労働党の党首がこうした発言をするのはセンスがなさ過ぎると批判されたが、この寄稿記事を読んで不安と反感を覚えた労働者たちは少なくない。

他方、英国第二の組合員数を持ち、製造業、運輸、建設など幅広い産業が結集した民間最大の労働組合ユナイトのシャロン・グレアム書記長は、2024年の年頭に「緊縮と賃金削減ではなく、投資を——それが英国が混乱から抜け出す唯一の道だ」と題した記事を英ガーディアン紙に寄稿した。記事中でグレアム書記長は、「産業化した英国の何世代もの親たちは同じことを希求した。彼ら・彼女らの子どもたちは、自分たちよりも長く生き、もっと豊かな生活を送るだろうと。だが、今は違う。格差が広がっている」と書き、トップの0・1％の富は1980年代の約3倍に増えているのに、実質賃金の額は1997年よりも下がっていると指摘する。公共サービスはボロボロになり、庶民を犠牲にしながら、民間の独占企業や寡占業者が儲ける。

「何かが壊れている」と彼女は書く。

「小さな船の運命や借金の上限を安定・固定させることでは、壊れた経済は直せない。建設検査官や専制的な財政規律以上のものが必要になる」という言葉は、明らかに緊縮財政政策の終了の必要性を語っている。

思えば、ブロークン・ブリテンの元凶は経済だった。経済が壊れた国は、それ以外のものも壊れ始める。この「ブロークン」状況は英国だけの話ではない。

例えば、2023年に首都ダブリンで起きた反移民の暴動が世界中で報じられたアイルランドでも、現地ではジェントリフィケーションによって首都の家賃と住宅価格が高騰し、ホームレスの人々が急増したり、手頃な家が不足したりする住宅危機の問題が背景にあったと言われている。このような状況になると、「移民が増え過ぎて家が足らなくなった」とか「この国はもう満員だ」とか言って人々の不満を煽る極右勢力が伸長するのである。似たようなジェントリフィケーションの問題は、2012年のロンドン・オリンピックを契機に再開発されたロンドン市内の人々も経験したものだ。ロンドンに買う住宅がなくなると、投資家や企業は、学生街など需要が見込める地方の町の住宅まで買い漁る（あさ）ようになったので、全国に住宅危機の問題が広がっていった。そしてオリンピックの4年後にＥＵ離脱の国民投票が行われ、英国の人々は「移民が増え過ぎた」という極右政党や保守党右派の主張に「そうだ、そうだ」と拳を上げたのである。

「何かが壊れている」とみんな思っている。

壊れているのは経済だということも実は気づいている。

だけど、景気の後退や経済の衰退は地震や洪水のようなもので、人間には為す術がないと思い込んでいるから、「ブロークン」になった理由を他に探して、あれのせいだ、これのせいだとＳＮＳで喧嘩したり、暴動を起こしたりするのである。しかし、このような迂回を10年、20年と続けても、「ブロークン」なものは変わらない。「失われた10年」が20年になり、30年になるだけだ。

だからこそ、２０２４年の年頭に発表された労組ユナイトの書記長の呼びかけは新鮮だった。

「債務返済とレッセフェール（自由放任主義）ではなく、投資と経済の安定が主役になるのを見たい。緊縮と賃金カットではなく、再分配と団体交渉がそれらに取って代わるのを見たい。金融街シティではなく、労働者たちとその家族のための改革を求める」

これは十数年前から言われてきたことだ。だからこそ、いまさら言う人もいなくなってしまった主張だ。しかし、世界中で20億人以上が投票するという「選挙イヤー」にこそ、わたしたちは基本に立ち返らなくてはならないのではないだろうか。原点回帰である。

サッチャーを称揚し、ブレア元首相に接近しているスターマー党首の個人的な考え方には不安が残るとしても、党内にグレアム書記長のような考え方の人々を含んでいる労働党が政権を奪還するほうが、保守党政治が続くより遥かに希望がある。

英国という国は、いいにつけ悪いにつけ他国に先んじて変わる部分があり、大きなやらかしはあるけれども、恥知らずなまでの胆力で間違いを訂正できる部分もある。この国が「ブロークン」の元凶に手をつける方向に動き出すとすれば、２０２４年はブリテンの修復が始まる年になるかもしれない。

英国だけでなく、世界が「ブロークン」の状態から抜け出すために、この記録が何らかのヒントになればと願っている。

２０２４年1月13日　ブレイディみかこ

本書の一部は、ブレイディみかこ『ブロークン・ブリテンに聞け――Listen to Broken Britain』（2020年10月、小社刊）より再録したものとなるが、同書刊行以降に執筆された記事を大幅に加え、文庫オリジナル版として新たに編集したものである。

|著者|ブレイディみかこ　ライター・コラムニスト。1965年福岡市生まれ、'96年から英国ブライトン在住。2017年、『子どもたちの階級闘争――ブロークン・ブリテンの無料託児所から』（みすず書房）で第16回新潮ドキュメント賞受賞。'18年、同作で第2回大宅壮一メモリアル日本ノンフィクション大賞候補。'19年、『ぼくはイエローでホワイトで、ちょっとブルー』（新潮社）で第73回毎日出版文化賞特別賞、第2回Yahoo!ニュース｜本屋大賞ノンフィクション本大賞、第7回ブクログ大賞（エッセイ・ノンフィクション部門）などを受賞。著書は他に、『その世とこの世』『ヨーロッパ・コーリング・リターンズ――社会・政治時評クロニクル 2014-2021』（岩波書店）、『私労働小説　ザ・シット・ジョブ』（KADOKAWA）、『リスペクト――R・E・S・P・E・C・T』（筑摩書房）、『両手にトカレフ』（ポプラ社）など多数。

ブロークン・ブリテンに聞け

社会・政治時評クロニクル2018-2023

ブレイディみかこ

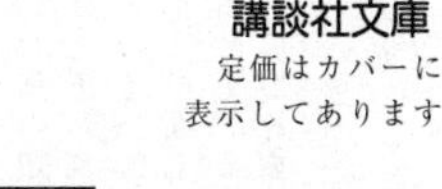

定価はカバーに
表示してあります

2024年3月15日第1刷発行

発行者――森田浩章
発行所――株式会社　講談社
東京都文京区音羽2-12-21　〒112-8001
電話　出版（03）5395-3510
　　　販売（03）5395-5817
　　　業務（03）5395-3615

Printed in Japan

デザイン―菊地信義
本文データ制作―講談社デジタル製作
印刷―――株式会社KPSプロダクツ
製本―――株式会社国宝社

ISBN978-4-06-535051-5

講談社文庫刊行の辞

二十一世紀の到来を目睫に望みながら、われわれはいま、人類史上かつて例を見ない巨大な転換期をむかえようとしている。

世界も、日本も、激動の予兆に対する期待とおののきを内に蔵して、未知の時代に歩み入ろうとしている。このときにあたり、創業の人野間清治の「ナショナル・エデュケイター」への志を現代に甦らせようと意図して、われわれはここに古今の文芸作品はいうまでもなく、ひろく人文・社会・自然の諸科学から東西の名著を網羅する、新しい綜合文庫の発刊を決意した。

激動の転換期はまた断絶の時代である。われわれは戦後二十五年間の出版文化のありかたへの深い反省をこめて、この断絶の時代にあえて人間的な持続を求めようとする。いたずらに浮薄な商業主義のあだ花を追い求めることなく、長期にわたって良書に生命をあたえようとつとめるところにしか、今後の出版文化の真の繁栄はあり得ないと信じるからである。

同時にわれわれはこの綜合文庫の刊行を通じて、人文・社会・自然の諸科学が、結局人間の学にほかならないことを立証しようと願っている。かつて知識とは、「汝自身を知る」ことにつきていた。現代社会の瑣末な情報の氾濫のなかから、力強い知識の源泉を掘り起し、技術文明のただなかに、生きた人間の姿を復活させること。それこそわれわれの切なる希求である。

われわれは権威に盲従せず、俗流に媚びることなく、渾然一体となって日本の「草の根」をかたちづくる若く新しい世代の人々に、心をこめてこの新しい綜合文庫をおくり届けたい。それは知識の泉であるとともに感受性のふるさとであり、もっとも有機的に組織され、社会に開かれた万人のための大学をめざしている。大方の支援と協力を衷心より切望してやまない。

一九七一年七月

野間省一